Os grandes FILÓSOFOS que fracassaram no AMOR

Andrew Shaffer

Os grandes FILÓSOFOS que fracassaram no AMOR

Tradução: Marcelo Barbão

LeYa

Diretor editorial: Pascoal Soto
Editora executiva: Tainã Bispo
Editor assistente: Daniel Lameira
Coordenação editorial externa: Taís Gasparetti
Produção editorial: Sonnini Yura

Tradução: Marcelo Barbão
Preparação: Alessandra Miranda de Sá
Revisão técnica de conteúdo: Ana Resende
Revisão de textos: Taís Gasparetti
Pesquisa iconográfica: Odete Pereira
Projeto gráfico e paginação: A2
Tratamento de imagens: A2
Capa: Mateus Valadares
Ilustrações de capa: Leandro Melite Moraes

Dados Internacionais de Catalogação na Publicação (CIP)
(Câmara Brasileira do Livro, SP, Brasil)

Shaffer, Andrew
Os grandes filósofos que fracassaram no amor / Andrew Shaffer ; tradução Marcelo Barbão. -- São Paulo : Leya, 2012.

Título original: Great philosophers who failed at love
ISBN 978-85-8044-498-8

1. Amor 2. Filosofia I. Título.

12-11311 CDD-128.46

Índices para catálogo sistemático:
1. Amor : Filosofia 128.46

2012

TEXTO EDITORES LTDA.
[Uma editora do Grupo Leya]
Rua Desembargador Paulo Passaláqua, 86
01248-010 – Pacaembu – São Paulo – SP – Brasil
www.leya.com.br

SUMÁRIO

INTRODUÇÃO

"Sempre é bom saber que, por mais que você tenha errado em sua vida amorosa, alguma outra pessoa se deu muito, muito pior."

Neal Pollack

Todos temos perguntas sobre o amor; todos queremos saber os segredos para um relacionamento bem-sucedido. Ela é a "escolhida"? Tudo bem sair com meu chefe? Como sei se meu marido está me traindo? É quase instintivo nos voltarmos a homens e mulheres sábios em busca de respostas.

Os filósofos contemplaram as perguntas mais inoportunas, perpassando a ética e a política e chegando à própria natureza do Ser. Se há alguém que pode nos ensinar algo sobre um conceito tão abstrato quanto o amor, os filósofos – os "amantes da sabedoria" originais* – deveriam encabeçar a lista. No entanto, um amante da sabedoria e um amante sábio são, no fim, duas coisas bem diferentes.

* Literalmente: a palavra "filosofia" vem da palavra "*philosophia*", do grego antigo – composta por "*philein*" ("amar") e "*sophia*" ("sabedoria").

Embora a maioria já tenha passado por dificuldades amorosas, os problemas e as indiscrições românticas de muitos filósofos ganham de longe. Você pode ter esquecido um aniversário de casamento, mas, pelo menos, não estrangulou a esposa (Louis Althusser), nem adotou a amante como filha (Jean-Paul Sartre) ou foi exilado de seu país por ter um caso (Sêneca, o Jovem).

Os grandes filósofos ocidentais – homens e mulheres cujas acrobacias intelectuais são elogiadas por professores de cursos básicos de filosofia pelo mundo afora – sabotaram com vigor o próprio relacionamento com suas tendências neuróticas. Amando ou não, os filósofos são excessivamente críticos, condescendentes e puritanos. A teoria deles é impenetrável; a posição, contraditória; as perguntas insistentes, um incômodo. Tal comportamento temperamental fez dos filósofos candidatos impróprios ao casamento. Não é de surpreender que tantos tenham optado por não entrar no jogo do amor.

Enquanto muitos morreram de maneira miserável, amarga e solitária, alguns poucos conseguiram superar os fracassos e mantiveram casamentos felizes. Como Albert Camus, cuja vida foi ceifada por um trágico acidente de carro antes de a esposa conseguir descobrir as amantes que ele havia escondido por todo o globo; ou Henry Ward Beecher, o infame adúltero do século XIX, cuja esposa estava tão ocupada criando os dez filhos que sequer cogitava em se divorciar dele; ou ainda Bertrand Russell, que descobriu que, pelo menos, quando se trata do casamento, a quarta vez é a que dá sorte.

A verdade é que este livro contém apenas uma amostra das milhares de grandes mentes que fracassaram no amor. Em todas as eras históricas, grandes cérebros e corações feridos andaram de mãos dadas, e, quanto mais alto chegaram, com mais força fracassaram. Talvez Bob Dylan tenha sido o mais sábio de todos, ao admitir: "Não dá para estar apaixonado e ser sábio ao mesmo tempo".

Sócrates
(469-399 a.C.)

"Seja de que maneira for, case-se. Se conseguir uma boa esposa, vai ser feliz; se conseguir uma péssima, vai se tornar filósofo."

O filósofo grego Sócrates era um homem baixo, de nariz achatado e olhos esbugalhados. Caminhava pelas ruas de Atenas conversando com estranhos sobre questões filosóficas aleatórias. Apesar da aparência estranha e do comportamento singular, Sócrates era conhecido e amado por toda a cidade-Estado grega.* Solteiro durante a maior parte da vida, enfim se casou quando tinha em torno de cinquenta ou sessenta anos.

Sua esposa, a ardente Xantipa, era, segundo alguns registros, cerca de quarenta anos mais jovem do que Sócrates. Em profundo contraste com a vida submissa que as mulheres deveriam levar na Grécia antiga, Xantipa repreendia publicamente o marido ancião. Reza a lenda que, depois de uma discussão

* Até que um júri o sentenciasse à morte.

entre o casal, Xantipa despejou a água suja de um balde sobre a cabeça do marido. Sócrates sabia que isso ia acontecer, gracejando que "geralmente chove após o trovão".

Sócrates lidava bem com o comportamento da esposa. "Como tenho a intenção de me associar a todo tipo de pessoa, acho que nada do que possam me fazer me perturbaria, já que estou acostumado a aguentar os humores de Xantipa", dizia. A reputação dela como esposa queixosa ficou permanentemente gravada nos livros de história: Shakespeare invocou seu nome como uma mulher "má e impertinente" em *A megera domada.**

Em 399 a.C., Sócrates foi julgado por corromper a juventude de Atenas com sua filosofia. Contestou as espúrias acusações de seu julgamento, e se recusou a pedir misericórdia. Chegou a prometer que continuaria a praticar sua filosofia se a corte o declarasse inocente. O júri o condenou e o sentenciou à morte.

Encarando a perspectiva de criar os três filhos sozinha, Xantipa se enfureceu, e com razão. No dia em que a sentença de Sócrates foi divulgada, chorou copiosamente na frente dos amigos que o visitavam. "Por favor, que alguém a leve para casa", Sócrates pediu ao amigo Críton. Todas as outras mulheres foram banidas da cabeceira de sua cama; Sócrates acreditava que um leito de morte não era lugar para luto. Cercado por seus amigos e discípulos, bebeu um cálice de cicuta, planta europeia venenosa.

Lágrimas começaram a escorrer dos rostos costumeiramente resignados dos amigos. "Vocês estão estranhos; o que há de errado com vocês?", perguntou o incrédulo Sócrates. "Tirei as mulheres daqui por esse motivo, para que não fizessem uma

* *The Taming of the Shrew,* em inglês. Nessa língua, o termo *"shrew"* pode ser o nome de um roedor ou usado na acepção de "megera". O nome da mulher de Sócrates se tornou tão relacionado ao termo *"shrew"*, que existe um roedor, na África Ocidental, batizado com o nome dela: *Crocidura xantippe*.

cena. Ouvi dizer que um homem deve morrer em silêncio. Então, por favor, fiquem quietos e se controlem." Sócrates caminhou um pouco para permitir que o veneno se espalhasse pelo corpo, deitando depois, quando sentiu as extremidades ficarem entorpecidas. Dirigiu estas últimas palavras a Críton: "Devemos um galo a Asclépio. Pague a ele. Não se esqueça".

NAS PALAVRAS DELE

Ele simplesmente não gosta de você

Durante o curso que previa vários encontros, o ateniense Alcebíades tentou seduzir o velho Sócrates. Apesar de o filósofo já ter dormido com jovens, não tinha interesse em ter nenhum relacionamento físico com esse em particular - mesmo quando lutavam com os corpos nus, Sócrates não se excitava. "Descobri que ele era muito mais invulnerável em todos os sentidos à coação do que Ajax à espada", concluiu Alcebíades.

Sócrates gentilmente ralhou com o jovem, acreditando que Alcebíades não possuía maturidade suficiente para apreciar o intelecto do filósofo mais velho:

> *Você deve perceber em mim um tipo de beleza incrível, mas de um tipo, digamos, muito diferente da que possui. [...] [Você gostaria de] fazer uma troca - beleza por beleza -, bem! [...] É realmente a velha troca de "ouro por bronze"!**

* Trata-se de uma referência a um episódio obscuro do canto VI da Ilíada, no qual Glauco troca sua armadura de ouro pela armadura de bronze de Diomedes.

Platão

(c. 427-c. 347 a.C.)

"O amor é uma doença mental séria."

Poucos detalhes são conhecidos sobre a vida amorosa do filósofo grego Platão, exceto que morreu solteiro com a idade de oitenta e um anos. Felizmente, deixou amplo material sobre as relações entre homens e mulheres – grande parte do qual parecerá perturbador ao leitor moderno.

Tomemos sua ideia de Utopia, apresentada em *A República*. Em contraste com o conceito moderno de Utopia como paraíso, ou Céu na Terra, a Utopia de Platão é uma cidade dirigida com mão de ferro pelo Estado. Na Utopia de Platão, os casamentos são organizados pelo Estado, baseando-se na eugenia. Se casais "inferiores" têm filhos, as crianças serão "colocadas em algum lugar desconhecido e misterioso, onde devem permanecer". Os filhos dos casais "superiores", patrocinados pelo Estado, também serão apartados dos pais para serem criados pela comunidade; nenhuma criança conheceria os pais, nem estes conheceriam os filhos. As crianças chamariam todos os adultos que encontrassem de "mãe" ou "pai", e todos de idade similar, de "irmão" ou "irmã".

Para evitar problemas associados à propriedade privada, as esposas não pertenceriam apenas ao marido. Em vez disso, "mulheres devem ser, sem exceção, esposas comuns dos [...] homens, e ninguém deve ter uma esposa só dele". Como esse arranjo "comum" afetaria o programa de criação patrocinado pelo Estado não fica claro, apesar de Platão afirmar que mulheres fora do intervalo de idade entre vinte e quarenta anos que ficassem grávidas teriam de sofrer um aborto – ou cometer o infanticídio.

Apesar de não existir espaço para romance na Utopia de Platão, havia muito para a guerra. Garotos e garotas que mostrassem aptidão para a luta seriam treinados desde tenra idade para serem guerreiros; se não exibissem nenhuma habilidade para a arte da guerra, uma divisão do trabalho forçada pelo Estado os ajudaria a escolher uma carreira. O principal objetivo da Utopia era obter superioridade militar sobre os Estados que ameaçassem seu bem-estar e tentassem impedir que tivessem comida para alimentar as massas. O filósofo Bertrand Russell (p. 144) escreveu:

> Habilidade na guerra e o suficiente para comer é tudo que se conseguirá. Platão sobreviveu à fome e à derrota em Atenas; talvez, em seu subconsciente, achasse que evitar esses males era o melhor que o estadista poderia realizar.

NÃO NAS PALAVRAS DELE

Amor platônico

Hoje, o termo "amor platônico" é usado para se referir a amizades íntimas e sem caráter sexual, em geral, entre membros heterossexuais do sexo oposto. A opinião dos personagens nos diálogos de Platão, ao contrário, é contraditória. Nas obras-primas Fedro *e* O banquete, *Platão pinta um quadro do amor que é de natureza tanto física quanto espiritual. Platão identificava as várias formas de amor: como o amor de Deus, o amor da carne, o amor de si mesmo e o amor do amigo, este último tendo servido de inspiração para criar a ideia moderna de "amor platônico".*

Diógenes, o Cínico
(c. 412-323 a.C.)

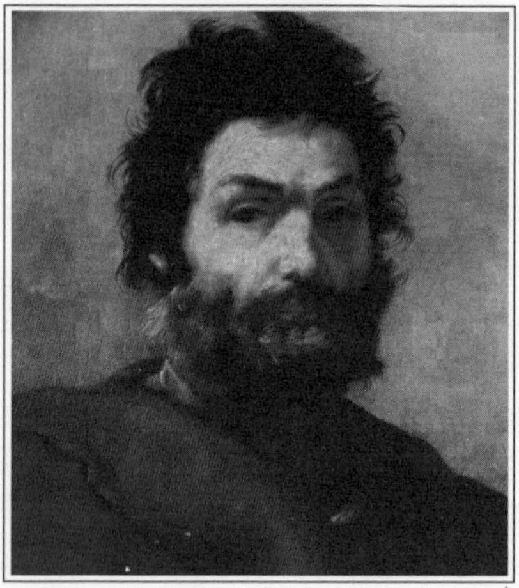

"O casamento nunca é bom para
um homem, e devemos nos dar por satisfeitos
se não causar nenhum mal."

Diógenes, o Cínico lutou toda a vida contra costumes e tradições do mundo grego. Sua filosofia professava que o que é natural não pode estar errado. Ele usou essa premissa como desculpa para peidar, urinar, defecar e se masturbar em público.*

Mesmo assim, Diógenes era uma figura interessante e admirada pelos colegas atenienses. Dizem que Alexandre, o Grande foi um admirador do excêntrico filósofo, afirmando: "Se eu não fosse Alexandre, gostaria de ser Diógenes".

O registro histórico é ambíguo sobre se Diógenes alguma vez se apaixonou; é provável que não, em particular, à luz de seu flagrante comportamento. Ele não acreditava que um homem

* Quando questionado sobre se masturbar em público, Diógenes falou: "Gostaria de poder me livrar da fome alisando a barriga".

realmente sábio pudesse se apaixonar. Amor, dizia Diógenes, é a província de homens sem nada para fazer – um sentimento irônico vindo de um homem que dormia ao ar livre em barris e mendigava por trocados durante o dia.

NAS PALAVRAS DELE

O presente perfeito

Diógenes abominava convenções sociais, como o casamento. "Os seres humanos complicaram todos os presentes simples dos deuses", falou, concluindo que o casamento complicava desnecessariamente o presente natural do sexo. Propunha uma sociedade alternativa, na qual mulheres seriam "possuídas em comum" pelos homens. Em vez de fazerem pares em casamentos monogâmicos, homens e mulheres poderiam trocar de parceiros sexuais quando quisessem no mundo perfeito de Diógenes.

Aristóteles
(384-322 a.C.)

"Pois o amor demonstra sua grande força, fazendo com que o tolo se torne sábio, e o sábio se torne um tolo."

Aristóteles foi muito atacado durante vários anos por suas opiniões misóginas. O filósofo grego acreditava que as mulheres são criaturas que têm defeitos inerentes, baseando-se, em parte, nas equivocadas observações de que as fêmeas têm sangue mais frio, menos dentes e vida mais breve que os homens.*
Para ele, as mulheres eram "monstruosidades" da natureza e pouco mais que animais domesticados.

Muitos historiadores simplesmente ignoram as opiniões dele sobre as mulheres. Afinal, Aristóteles foi, junto com Platão e Sócrates (p. 16 e p. 12, respectivamente), um dos fundadores da filosofia ocidental. Criou o primeiro estudo formal de lógica e avançou nos campos da biologia, ética e política.

* Os gregos tinham o curioso hábito de deixar recém-nascidos do sexo feminino que não eram desejados ao ar livre para morrer. Isso pode ter distorcido a expectativa média de vida das mulheres na sociedade grega.

Aos trinta e sete anos, Aristóteles se casou com Pítias, de dezoito anos, filha adotiva de seu mentor, Hérmias. A idade deles correspondia exatamente à idade ideal para se casarem, apontou o filósofo romanticamente. O registro histórico indica que o casamento deles foi feliz. Se a esposa tivesse a permissão de registrar os próprios pensamentos sobre a relação dos dois, no entanto, uma imagem diferente poderia ter surgido: será que realmente gostava de ser tratada como um "animal domesticado" e chamada de "monstruosidade"? Pítias morreu jovem, deixando Aristóteles com a tarefa de criar a única filha do casal, uma menina também chamada Pítias.

Casou-se em seguida com uma mulher chamada, de maneira pouco conveniente, Hérpiles. Há poucas informações sobre esse relacionamento. Pouco antes de morrer, Aristóteles pediu para ser enterrado ao lado da primeira esposa. Continuou a tratar as mulheres como gado até o final: deixou Hérpiles sob a tutela dos executores de seus bens com instruções explícitas no testamento de que "ela fosse dada a alguém digno", caso desejasse se casar de novo.

NAS PALAVRAS DELE

De bocas e homens

Os críticos ridicularizaram Aristóteles por séculos em decorrência da crença de que as mulheres tinham menos dentes do que os homens. "Apesar de ter se casado duas vezes, nunca pensou em verificar tal declaração examinando a boca das esposas", escreveu o filósofo Bertrand Russell (p. 144).

Talvez estivesse muito ocupado com seu trabalho para encontrar tempo para isso. De acordo com Diógenes, o Cínico (p. 20), Aristóteles "caminhava de um lado para o outro [num passeio público no Liceu] discutindo filosofia com os alunos até chegar a hora de se esfregarem com óleo". As mulheres eram confinadas ao lar e excluídas das funções públicas e sociais, enquanto os homens gregos eram livres para ensinar, aprender e se esfregarem com óleo quando bem entendessem.

Tito Lucrécio
(c. 99-c. 55 a.C.)

"É mais fácil evitar as armadilhas do amor do que fugir quando você já está na teia."

O único trabalho que sobreviveu do filósofo romano Tito Lucrécio é o poema filosófico *Sobre a natureza das coisas*, e pouco se sabe sobre a vida dele, exceto algumas fofocas e especulações. A lenda mais persistente envolveu uma mulher desprezada, veneno, alucinações e suicídio – todos ingredientes centrais de uma paródia.

"Mulheres são meretrizes manipuladoras que criam ciladas", escreveu Lucrécio. Sua opinião estava supostamente baseada na experiência pessoal, relacionada à lenda da poção do amor (transcrita a princípio por Jerônimo, no século IV).

A esposa de Lucrécio, Lucila, cansada de ser ignorada enquanto o marido se dedicava à sua poesia, contratou uma feiticeira para criar uma poção do amor. No entanto, as coisas não saíram como planejado. Quando Lucrécio ingeriu a poção, experimentou visões terríveis "do universo epicurista, com átomos colidindo aleatoriamente no vazio", de acordo com o autor lorde Tennyson. Em vez de se apaixonar perdidamente pela esposa, Lucrécio se apaixonou pela "alta virtude epicurista da tranquilidade".

Lucrécio tratou da tranquilidade divina numa série de livros escritos "durante os intervalos de sua sanidade", mas nunca recebeu uma resposta do universo e cometeu suicídio aos quarenta e quatro anos, enfiando uma faca em si mesmo.

NAS PALAVRAS DELE

Quem disse que ela só quer meu dinheiro?

O sexo era moralmente aceitável para Lucrécio, desde que não envolvesse amor. O homem que se encontra apaixonado apenas segue adiante ferido, um escravo das paixões da amante.

> *Eles se consomem em feridas que ninguém consegue ver.*
> *Lembre-se também de que a força deles será desperdiçada,*
> *O trabalho será inútil: a vida é vivida*
> *Nas costas e decisão de outro: o dinheiro deles será*
> *Gasto em cobertores babilônicos. [...]**

Ou em um robe ou vestidos...

* Cobertores babilônicos bordados – forrações para sofás muito bonitas – estavam na moda na Roma antiga. O imperador Nero comprou um por quatro milhões de sestércios (aproximadamente duzentos mil dólares hoje).

Sêneca, o Jovem

(c. 4 a.C.-65 d.C.)

"A amizade sempre beneficia; o amor, às vezes, machuca."

O filósofo romano Sêneca, o Jovem* foi banido de Roma em 41 sob acusações de adultério com a sobrinha do imperador Claudio, Júlia Livila, provando que o amor às vezes realmente machuca. (Isso é particularmente verdadeiro quando esse amor acontece entre um homem de quarenta anos e uma princesa de vinte anos, casada.)

Depois de viver no exílio na ilha da Córsega por oito anos, Sêneca voltou em 49 por ordem da esposa do imperador (e irmã de Júlia), Agripina. No ano 50, casou-se com uma mulher rica, Pompeia Paulina, e passou a ser o tutor do filho de Agripina, Nero. Quando este assumiu o trono romano em 54, Sêneca tornou-se seu conselheiro político.

* Seu pai, Sêneca, o Velho, era escritor também, mas o jovem Sêneca não queria se valer das conquistas dele. "Aquele que se gaba de seus ancestrais elogia as ações do outro", escreveu Sêneca, o Jovem.

Os tumultuados catorze anos de reinado de Nero foram marcados por paranoia e perseguição – entre outras atrocidades, ele executou a própria mãe, Agripina. Sêneca não conseguia controlar o imperador e foi testemunha silenciosa de seu reinado de horror, antes de se retirar do cargo, após oito anos de serviço.

Depois que Sêneca admitiu participar de um complô para derrubar o imperador em 65, Nero ordenou que o filósofo e seus colegas conspiradores cometessem suicídio. De acordo com o historiador romano Tácito, Sêneca pediu à esposa que sua morte não

> fosse um fardo permanente; ao contrário, devia sentir genuíno consolo pela perda do marido na contemplação da vida virtuosa dele. Paulina garantiu que ela tinha toda intenção de morrer com ele e exigiu compartilhar a faca fatal. Sêneca não era contrário a que a esposa tivesse seu momento de glória, [...] [portanto] falou:
>
> – Ofereci a você o conforto da vida: você escolheu a dignidade da morte. Não devo negar a chance de mostrar tal exemplo.

Então ambos abriram as veias dos braços com um único golpe da faca.

Sêneca estava fraco devido ao jejum a que fora submetido, e teve dificuldades em fazer com que o sangue fluísse dos pulsos. Pediu à esposa, de cujas veias vertia farto sangue, que saísse da sala. Sêneca então pediu ao médico que administrasse um veneno que acelerasse sua morte; o veneno tampouco o matou. Foi colocado depois em uma banheira com água quente e o vapor enfim o sufocou.

Enquanto isso, Nero ouviu dizer que Paulina havia cortado os pulsos, e ordenou que fossem feitos curativos em seus braços, e que os médicos a mantivessem viva. Ela sobreviveu à tentativa de suicídio, mas "foi fiel à memória do marido a um grau louvável, a palidez de seu rosto e do corpo testemunhando até que ponto sua alma havia sido dilacerada".

NAS PALAVRAS DELE

Aposto que você não consegue ter um só

Sêneca, o Jovem satirizou a moral frouxa, que via como o veneno da sociedade romana:

> *Alguém pode se sentir envergonhado do adultério, agora que as coisas chegaram ao ponto em que nenhuma mulher mantém um marido, a menos que seja para fazer despeito a seu amante? A castidade implica meramente feiura. Onde se poderá encontrar mulher tão abjeta, tão repulsiva, a ponto de estar satisfeita com um único par de amantes, sem ter um diferente para cada hora do dia; tampouco é o dia longo o suficiente para todos eles, a menos que ela tenha passeado com um durante o dia e passado a noite com outro.*

Apesar de ser uma obra de sátira, é difícil ler suas palavras aqui sem se lembrar da causa de seu exílio.

Santo Agostinho de Hipona
(354-430)

"Dê-me castidade e abstinência, mas não agora."

Quando Agostinho deixou seu lar no norte da África, com a idade de dezesseis anos, para estudar em Cartago (uma cidade antiga da atual Tunísia), festejava como se fosse o primeiro estudante a descobrir o vinho, as mulheres e a música. Negligenciava a lição de casa para se concentrar, em vez disso, nos "prazeres infernais", dos quais o mais documentado foi uma relação sexual com uma jovem cujo nome é desconhecido até os dias de hoje. Ele escreveu:

> Foi uma coisa doce para mim tanto amar quanto ser amado, e mais doce ainda, quando fui capaz de desfrutar o corpo da minha amante. E então turvei a clara primavera da amizade com a sujeira do desejo físico e nublei seu brilho com o inferno obscuro da luxúria.

Agostinho permaneceu ao lado dessa mulher nunca identificada por treze anos. Tiveram um filho, Adeodato, e Agostinho sustentou sua família improvisada ensinando retórica. Levavam uma vida simples e tranquila, mas a mãe de Agostinho tinha sonhos mais grandiosos para o filho.

Quando se aproximou dos trinta anos, a mãe o pressionou a se casar com uma "mulher respeitável" (quer dizer, não com o tipo de garota que teria um filho fora do casamento). A mulher com quem vivia – o amor de sua vida, segundo conta – abandonou a cidade por ordem dele. Apesar de ter ficado com a custódia do filho, Agostinho se sentiu completamente devastado. "Meu coração, que se apegara a ela, ficou triste e ferido, e sangrando", escreveu.

A nova "mulher respeitável" que a mãe lhe arranjou tinha apenas dez anos; ela só poderia se casar depois de dois anos. Nesse meio-tempo, Agostinho precisava saciar o apetite por companhia feminina, mas a ex-amante estava agora a um continente de distância, exilada na África. Não teve problemas em seguir adiante: o homem cujo coração estava "triste e ferido, e sangrando" decidiu arranjar uma amante. Como mais tarde lembrou, estava "apaixonado pelo fato de estar apaixonado".

Antes de conseguir se casar, e enquanto ainda encontrava a nova amante, Agostinho sofreu uma intervenção divina, que mudaria sua vida para sempre.

Um dia, enquanto estava com um amigo, uma voz misteriosa em sua mente lhe gritou: "Agostinho, Agostinho! Pegue a Bíblia e leia!". Por acaso, tinha uma Bíblia à mão. Tomou-a. A primeira passagem que leu foi Romanos 13:13-14:

> Comportemo-nos honestamente, como em pleno dia: nada de orgias, nada de bebedeira; nada de desonestidades nem dissoluções; nada de contendas, nada de ciúmes. Ao contrário, revesti-vos do Senhor Jesus Cristo e não façais caso da carne nem lhe satisfaçais os apetites.*

* *Bíblia Sagrada*. 117ª edição. Editora Ave-Maria Ltda. São Paulo, 1998.

Depois de ler essa passagem, Agostinho se comprometeu com uma vida de celibato, abandonando tanto a amante quanto a noiva no processo. Converteu-se ao catolicismo e se tornou padre em Hipona (agora uma cidade argelina chamada Anaba).

Confrontou seu passado lascivo numa autobiografia revolucionária, intitulada *Confissões*. As lembranças francas de Agostinho de experiências sexuais pré-nupciais foram consideradas revolucionárias à época, mas ele visava algo mais do que excitação. "Quero me lembrar dos absurdos e da corrupção carnal de meu passado, não porque amo o que aconteceu, mas para que possa amá-Lo, meu Deus", escreveu.

Agostinho de Hipona chegaria a escrever mais de cem livros, moldando o desenvolvimento do pensamento ocidental com suas interpretações bíblicas do casamento e da sexualidade.

NAS PALAVRAS DELE

Não se pode viver com elas, tampouco sem elas

Ao contrário de muitos teólogos, Agostinho foi capaz de usar as próprias experiências pré-celibato ao escrever sobre sexualidade. Concluiu, por exemplo, que os órgãos sexuais dos homens têm vida própria; que o pênis pode ficar ereto em momentos inoportunos ou estar à altura dos acontecimentos. "Algumas vezes, sem intenção, o corpo se move sozinho, insistente. Em outras, deixa uma amante trêmula insatisfeita, e, enquanto o desejo arde na imaginação, está congelado na carne", escreveu em A cidade de Deus.

Pedro Abelardo
(1079-1142)

"Que, doravante, nenhum amante siga meu exemplo, pois uma mulher rejeitada é uma criatura terrível."

Segundo a própria avaliação, o erudito francês Pedro Abelardo "frustrou todos os acadêmicos da época" com suas contemplações filosóficas. No auge da fama, depois de derrotar os professores com argumentos lógicos e fundar a própria escola, Abelardo aceitou a cadeira de filosofia na escola da Catedral de Notre Dame, em Paris, no ano de 1115. Suas conferências sobre filosofia grega e teologia cristã atraíam milhares de estudantes, mas Heloísa d'Argenteuil, de dezessete anos, destacava-se em meio à multidão. "Eu a vi, eu a amei, e decidi fazer com que me amasse", afirmou Abelardo em sua autobiografia.

Heloísa vivia com o tio, Fulberto, cônego da catedral – um homem com quem não se deveria brincar. Esse foi, no entanto, um desafio de menor importância para Abelardo, que elaborou uma estratégia para afastar Heloísa dos olhos cuidadosos do cônego. "Era ambicioso em minha escolha [da dama], e desejava encontrar alguns obstáculos que pudesse superar com maior glória e prazer", escreveu Abelardo. Ele se aproximou de Fulberto por intermédio de um amigo em comum e, num golpe de sorte, este o contratou para ensinar filosofia a Heloísa. "Dá para acreditar que ele me concedeu o privilégio de sua mesa e um aposento em sua casa? Por esses meios, encontrei oportunidades de estar em particular com ela", revelou Abelardo, claramente satisfeito.

Heloísa se apaixonou pelo mentor, que tinha o dobro de sua idade; as aulas particulares degeneraram com rapidez em lições da carne. Logo, o amor deles não podia ser contido durante as horas do dia, e, em segredo, encontravam-se à noite para "expressar as afeições mútuas". Como um dos contemporâneos de Abelardo ponderou de modo franco, o professor erudito "não a ensinou a argumentar, mas a fornicar". Rumores do caso de Abelardo e Heloísa se espalharam por toda a Paris, chegando enfim aos ouvidos de Fulberto. O tio enraivecido expulsou o professor de casa, jogando-o na rua.

Abelardo se recusou a abandonar a jovem amante. Depois de alugar um apartamento perto da casa de Fulberto, foi ter com a serva de Heloísa, Agaton. Pediu-lhe que fosse intermediária entre ele e Heloísa. Infelizmente para Abelardo, a empregada nutria os próprios sentimentos por ele:

> Estou apaixonada pelo senhor, Abelardo; sei que o senhor adora Heloísa, e não o culpo; só desejo desfrutar do segundo lugar nas suas afeições. Não se desconcerte com escrúpulos; um homem prudente deveria amar várias ao mesmo tempo, pois, se uma falhar, ele não fica desprevenido.

Uma proposta sensata, não? Não para Abelardo, cujo coração pertencia apenas a uma mulher. Recusou os avanços de

Agaton, e a serva desprezada expôs, por vingança, os planos de Abelardo a Fulberto. "Uma mulher rejeitada é uma criatura terrível", escreveu Abelardo sobre a serva fofoqueira.

O relatório de Agaton deixou o tio de Heloísa furioso, tornando inútil qualquer tentativa de Abelardo de voltar a cair em suas boas graças. Os amantes pareciam nunca ter estado tão distantes. Para complicar a situação, Heloísa estava grávida.

Abelardo, no limite de sua paciência, fez a única coisa possível: escalou as paredes da casa de Fulberto, levou Heloísa embora num resgate ousado e fugiu com ela, escondendo-a em sua cidade natal na Bretanha, onde ela deu à luz o filho gerado pelo amor deles.

Abelardo, temendo um escândalo público, repensou os fatos – talvez tivesse agido rápido demais. Determinado a diminuir as tensões com o tio da garota, pediu-lhe a mão de Heloísa em casamento. Por incrível que pareça, Fulberto aceitou a oferta de paz, e Abelardo e Heloísa se casaram numa cerimônia secreta.

Mas Heloísa não concordou com o casamento, acreditando que não seria nada além de um negócio que desvaneceria a paixão natural do relacionamento. "Não será mais agradável para mim ver-me como sua amante do que como sua esposa?", dizia ela, acrescentando que "os gritos das crianças e os cuidados de uma família [são] completamente inconsistentes com a tranquilidade que o estudo exige". Essas palavras continham certo teor de verdade – Abelardo *estivera* negligenciado os estudos filosóficos enquanto brincava de ter uma família. Ele cedeu, relutante, diante das exigências da esposa, e a enviou a um convento, por segurança. O filho deles terminou sob os cuidados da irmã de Heloísa.

O que ocorreu em seguida foi algo que os historiadores delicadamente descreveram como "um certo evento bem conhecido, no qual [Abelardo] não foi bem tratado". Quando Fulberto descobriu que a sobrinha fora enviada para um convento, mandou castrar Abelardo. Com assustador distanciamento, este escreveu:

> Um assassino veio até meu quarto à noite, munido de uma navalha, e encontrou-me dormindo profundamente. Sofri a mais vergonhosa punição que a vingança de um inimigo poderia inventar; resumindo, sem perder minha vida, perdi minha masculinidade.

Num dos mais incríveis exemplos de pensamento positivo já registrado, Abelardo vê a castração como uma liberação de sua devassidão anterior. Encontrou consolo num monastério, onde enfim conseguiu escrever o que estava em seu coração. "[Encontrei] na filosofia e na religião um remédio para minha desgraça; busquei um asilo para me afastar do amor."

Heloísa escrevia com frequência ao marido, e a correspondência amorosa se tornou uma lenda por si só. "Não posso viver, se não me disser que ainda me ama", escreveu ela numa das cartas, sem parecer se importar com a castração.

Como a correspondência entre eles progredia com o passar dos anos, o tom de Abelardo se transformou, passando do de um amante ao de um sacerdote. Numa de suas últimas cartas a Heloísa, ele a encorajava a se consagrar a Cristo, e esquecer o amante ferido: "De agora em diante, dedique-se com fervor a salvar-se; esta deve ser sua única preocupação. Afaste-me, portanto, para sempre de seu coração".

Abelardo continuou seus estudos, fundando a Abadia do Paracleto. Heloísa, no entanto, se recusou a afastar Abelardo de seu coração. Viveu vinte e dois anos a mais do que ele, e está enterrada a seu lado no cemitério da abadia.

NAS PALAVRAS DELE

Formamos um belo par

O caso de amor clandestino de Abelardo com a pupila causou estragos ao seu hábito de estudo. Em vez de ler e escrever filosofia, Abelardo dedicou seu tempo a compor poesia amorosa. O mais incrível é que provou ser um poeta de talento incomum. Ao apenas recitar a poesia de Abelardo, os jovens eram capazes de obter "favores" das jovens damas. Como o poeta - em meio expediente - explicou: "Aqueles que estavam tão apaixonados quanto eu se orgulhavam de aprender [meus poemas] e, por aplicarem com sorte meus pensamentos e versos, obtiveram favores que talvez não teriam ganho de outra maneira". Felizmente, para as jovens damas castas de todo o mundo, sua produção poética se perdeu.

São Tomás de Aquino
(1225-1274)

"O amor toma a frente quando o conhecimento desaparece."

Tomás de Aquino não foi um adolescente rebelde comum. Com dezessete anos, fugiu de sua casa na Itália... para se unir a uma ordem religiosa.

A família queria que ele se tornasse monge beneditino; Aquino queria se juntar à Ordem de São Domingos, uma facção cristã rival. Enquanto estava a caminho da Ordem de São Domingos, em Roma, dois de seus irmãos o sequestraram e o trancaram numa cela no Castelo de Monte San Giovanni, uma fortaleza imponente que também era o lar de seu pai. Se havia algo que poderia mudar a fé do jovem Aquino, pensou a família, era o confinamento em um castelo.

Embora estivesse preso, Aquino se negou a renunciar à devoção aos dominicanos. Em uma manobra desesperada, a família contratou uma prostituta para seduzi-lo. Pensaram que, depois que Aquino tivesse pecado com uma mulher, desistiria de suas aspirações clericais.

Reconhecendo as intenções amorosas no momento em que a mulher foi jogada em sua cela, Aquino afastou-a com um tição quente, e pediu forças a Deus para continuar resistindo às tentações da carne.

Naquela noite, Deus respondeu a suas preces na forma de dois anjos.

Apesar de não o ajudarem a fugir, fizeram algo melhor ainda: amarraram um cordão branco ao redor de sua cintura. "Tomás, em nome de Deus, nós o cingimos com o cinto da castidade, que nenhum ataque poderá destruir", cantaram os anjos em uníssono.

Com o poder concedido sobre seu corpo pelo cordão mágico, Aquino foi capaz de aguentar o cativeiro com um renovado sentido de fé.

Por fim, após dois anos de clausura, Aquino fugiu; a família não fez nenhuma tentativa de recapturá-lo. Ele se uniu à Ordem de São Domingos, e se tornou padre da Igreja Católica Romana.

Hoje, é considerado o maior teólogo católico. E quanto àquele cordão amarrado ao redor da cintura dele? Aquino o usou até a morte, gabando-se de nunca ter sido tentado a quebrar o voto de castidade.*

* Parece uma reminiscência suspeita da técnica que os fazendeiros usam para castrar os carneiros: uma tira de borracha é amarrada ao redor dos testículos do carneiro para interromper a circulação, e o animal pode correr livre até que os bagos acabem caindo em decorrência da necrose.

NAS PALAVRAS DELE

O pecado carnal é ilegal

Aquino acreditava que alguns pecados, como o adultério, eram puníveis nas esferas física e espiritual. Adultério "não é somente o pecado carnal do desejo, mas o pecado espiritual da injustiça, e muito mais grave do que um simples roubo", escreveu em sua Suma teológica. *Obviamente ele desconhecia o princípio legal do* bis in idem, *que proíbe uma pessoa de ser julgada mais de uma vez pela mesma infração.*

João Calvino
(1509-1564)

"O véu do sagrado matrimônio permite que marido e esposa deem prazer um ao outro."

Talvez nenhum teólogo tenha feito mais para moldar a visão ocidental contemporânea sobre amor, casamento e família do que João Calvino. O influente pastor francês ajudou a tirar a sociedade da Idade das Trevas ao redefinir os papéis de marido e esposa, além de introduzir novas diretrizes sobre o divórcio, que permitiram a homens e mulheres exigir igualmente a custódia e pensão alimentícia.

Calvino tinha trinta anos quando começou a pensar seriamente em se casar. Ainda nos primeiros estágios da carreira clerical, considerava que as esposas eram pouco mais que donas de casa glorificadas. "Nunca tive uma esposa", escreveu, "e não sei se vou me casar. Se o fizesse, seria para me liberar de preocupações triviais, assim poderia me devotar ao Senhor". Seus amigos o encorajaram a procurar uma companhia. Ele estabeleceu as bases para tal união, escrevendo:

> Não sou um desses amantes insanos que chegam a abraçar vícios quando são conquistados por uma bela figura. A única beleza que me atrai é esta: se ela é modesta, obsequiosa, se não é arrogante, se é simples, paciente, e se há esperança de que se preocupará com minha saúde.

No início de 1540, um dos simpatizantes de Calvino lhe apresentou uma jovem alemã de família nobre. Como ele procurava uma esposa com quem, além de cuidar dos afazeres da casa, pudesse conversar, previu problemas de comunicação com a garota, que falava alemão. Como não desejava ferir seus sentimentos, concordou relutante com o casamento se ela aprendesse francês. A família dela começou a planejar o casamento para a primavera. Ao mesmo tempo, Calvino despachou seu irmão com instruções de encontrar *com rapidez* uma candidata mais adequada para o casamento. (A busca do irmão se provou um fracasso.) Era óbvio que Calvino tinha pouca confiança de que a noiva fosse capaz de aprender o idioma francês... e, aparentemente, ela nunca conseguiu mesmo, já que a data marcada passou e nenhum sino soou.

Mais tarde, naquele mesmo ano, Calvino encontrou uma perspectiva mais agradável em Idelette de Bure, viúva de sua congregação. Esta tinha experiência em dirigir uma casa, tendo já dois filhos do casamento anterior – era praticamente um *kit* familiar para iniciantes aos olhos do teólogo. E o mais importante: ela falava sua língua. Desta vez, Calvino chegou às núpcias.

As primeiras semanas do casal foram passadas na cama... pois ficaram doentes. Calvino acreditou ser um aviso de Deus para não desfrutar com muita veemência da vida de casado (embora não tivesse nenhum problema moral quanto ao desfrute do casamento por outras pessoas – veja "Nas palavras dele"). Apesar do presságio de enfermidade mútua inicial, Calvino mal podia esperar para ter filhos com Bure.

Infelizmente, a única criança que os dois tiveram não sobreviveu aos primeiros anos. Calvino foi estoico sobre a tragédia, escrevendo: "O Senhor me deu um filho, mas também o levou". O casamento deles foi, exceto por esse detalhe, tranquilo. Depois que Idelette faleceu, em 1549, Calvino não voltou a se casar.

NAS PALAVRAS DELE

Não há motivo para se envergonhar

Ao contrário de outros estudiosos da Bíblia na Idade Média, a opinião de Calvino sobre sexo era, em grande parte, positiva. Ele acreditava que o celibato não é parte do plano de Deus: "É atentar contra Deus lutar contra a natureza partilhada por ele, e desprezar seus atuais dons como se eles não nos pertencessem". Desfrutar do sexo dentro do casamento era uma coisa boa. "Se houver pecado ou vergonha nisso", escreveu, "está tão encoberto pela bondade do matrimônio que cessa de ser pecado ou, pelo menos, de ser visto assim por Deus", pois "a relação entre marido e esposa é uma coisa pura, boa e sagrada". Amém.

René Descartes
(1596-1650)

"É fácil odiar e é difícil amar."

Quinze de outubro de 1634. A noite fatal em que o filósofo francês René Descartes – o homem agora conhecido como o pai tanto da filosofia moderna quanto da geometria analítica – perdeu a virgindade com uma copeira, Hélène Jans. Essa única noite de paixão resultou numa criança ilegítima.* Descartes nunca se casou com Hélène, mas ganhou a custódia da filha, Francine. Ele amava muito a criança e sentia-se animado com a possibilidade de educá-la. Infelizmente, ela morreu de escarlatina aos cinco anos de idade.

Descartes, católico romano devoto, arrependeu-se de seu ato de fornicação e se dedicou a uma existência celibatária. "Deus rapidamente o perdoou [de seu pecado]", escreveu seu biógrafo, Adrien Baillet.

* Essa foi, até onde se sabe, a única vez em que Descartes teve uma relação sexual. Gerar um filho na primeira e única tentativa significa que tinha extrema sorte, ou era um excelente atirador.

Entrou no relacionamento mais íntimo de sua vida, alguns anos depois, com a princesa Elizabeth, de vinte e cinco anos, filha de Frederico, rei da Boêmia. Descartes tinha quarenta e sete anos quando ele e a princesa trocaram cartas, pela primeira vez, em 1643. Depois de apenas um ano escrevendo um ao outro, Descartes dedicou seu livro *Princípios da filosofia* a ela.

Encontraram-se poucas vezes, mas trocaram muitas cartas, até a morte de Descartes, em 1650. Elizabeth foi sua correspondente mais próxima até o final da vida, e foi "até certo ponto por causa do grande interesse dela [nos esforços intelectuais dele] que ele perseguiu as paixões tão assiduamente", escreveu o biógrafo Stephen Gaukroger sobre a obra-prima de Descartes, *As paixões da alma*. Apesar de a *Stanford Encyclopedia of Philosophy* afirmar que o livro foi o "resultado das 'sondagens' da princesa Elizabeth", não havia, na verdade, nenhuma sondagem acontecendo entre os dois.*

* O problema real da princesa Elizabeth pode ter se devido ao fato de ela ser *muito* perfeita. Descartes tinha um fetiche por mulheres vesgas: "Quando era criança, me apaixonei por uma garota da minha própria idade que era ligeiramente vesga; em consequência, sempre que olhava para seus olhos, a impressão daquela visão no meu cérebro ficou tão ligada ao que despertava a paixão do amor que, muito tempo depois, sempre que via pessoas vesgas sentia-me mais inclinado a amá-las do que a outras".

NAS PALAVRAS DELE

A paixão de Descartes

É bastante provável que Descartes acreditasse que a princesa Elizabeth fosse sua alma gêmea - se não em corpo, pelo menos em espírito. "O amor é uma emoção da alma causada por um movimento dos espíritos, que impele a alma a se juntar, por vontade própria, a objetos que lhe pareçam agradáveis", escreveu em uma das poucas seções realmente apaixonadas em As paixões da alma.

John Locke

(1632-1704)

"Não há necessidade na natureza do casamento, nem do fim dele, que deveria ser sempre para toda a vida."

Thomas Jefferson já havia escrito que o filósofo inglês John Locke era um dos "três maiores homens que já tinham vivido, sem nenhuma exceção". Como teórico político, Locke criou as fundações filosóficas para a Constituição dos Estados Unidos, com seus escritos sobre a liberdade individual e os direitos de propriedade. Mas, em sua busca no âmbito político, Locke sacrificou o lado pessoal: jamais se casou, nem teve filhos.

O charmoso Locke certamente se uniu a muitas mulheres durante a vida. Parece que algumas delas queriam ser mais que amigas, algo que ele era muito arredio para reconhecer. A linguagem que usava em relação à sua amiga Elinor Parry, por exemplo, inicialmente foi marcada pelo brilho do romance. Ele a descreveu como alguém que "me roubava o uso da razão", acrescentando que "o amor é um fogo e uma chama repleta de calor e entusiasmo". Trocaram cartas, flertando um com o outro, durante alguns anos, mas ele nunca deu passos definitivos no sentido de cortejá-la – apesar de Parry ter lhe dado indicações, mais de uma vez, de que Locke deveria se sentir à vontade para revelar sua paixão. Quando a sutileza se provou inútil, ela ousadamente perguntou se ele agora era indiferente "ao afeto que você criou em minha alma?". De imediato, as cartas de Locke perderam todo o tom de flerte. Em sua última carta, Parry escreveu:

> Como é difícil para você disfarçar seus pensamentos, alma e coração para quem o conhece tão bem quanto eu. [...] Você ainda me ama. [...] [Vamos nos encontrar,] acredito, no próximo mundo, já que isso não acontecerá neste.*

A amiga de Locke de mais longa data foi Damaris Cudworth. Eles começaram a se corresponder em 1682, quando ela tinha vinte e três anos e ele, quarenta e nove anos. Depois que Cudworth ficou noiva de *sir* Francis Masham, escreveu para Locke dizendo que um amigo em comum havia lhe contado "que você me ama muito". Ela ficara "realmente irritada" com o comentário e esperava arrancar de Locke seus verdadeiros sentimentos.

Locke, que estava na Holanda à época, não subiu em seu cavalo branco para roubá-la do noivo. Em vez disso, escreveu uma carta que Cudworth recebeu no dia do casamento. Apesar de não tê-la guardado, a carta não era a declaração de amor verdadeiro que havia esperado, portanto, ela entrou na igreja e assumiu seu novo papel como esposa e mãe.

Mais tarde, a recém-nomeada *lady* Masham enfatizou que a ligação intelectual que compartilhava com Locke não seria destruída com o casamento: "Os objetos de todos os meus pensamentos são de natureza imortal; e isso inclui, sem dúvida, a

* Locke, sem dúvida, ainda está tentando fugir dos avanços dela no Além.

amizade". Enquanto Locke estava na Holanda, *lady* Masham deu à luz seu único filho.

Locke voltou à Inglaterra em 1691, e *lady* Masham convidou-o a viver em sua casa. Podemos presumir, com segurança, que não houve nenhum caráter lascivo nessa estada, uma vez que Locke estava mal de saúde durante os últimos anos de sua vida. Numa carta a um amigo, escreveu: "Não me vejo nessa minha idade muito inclinado a pensamentos de [amor]. Minha saúde [...] é minha única amante".

Locke viveu com os Masham até sua morte, em 1704. Deixou sua herança para o filho de Masham, Francis Cudworth Masham. No epitáfio do túmulo de Locke pode-se ler: "Suas virtudes, se ele tinha alguma, eram muito poucas para serem enaltecidas por ele ou serem um exemplo para você. Deixe que seus vícios sejam enterrados com ele".

NAS PALAVRAS DELE

Ela é fiel

John Locke acreditava que um homem apaixonado exemplificava a capacidade humana para o autoengano.

Às vezes, a força de um argumento claro pode causar certa impressão, mas ele permanece firme mesmo assim, e afasta o inimigo, a verdade, que poderia cativá-lo ou perturbá-lo. Diga a um homem apaixonado que ele está sendo enganado; traga um grupo de testemunhas que contem sobre as falsidades de sua amante; aposto dez a um que três palavras doces dela invalidarão todos os testemunhos.

Emanuel Swedenborg

(1688-1772)

"O homem sabe que o amor existe, mas não o que ele é."

É bastante compreensível que o filósofo sueco Emanuel Swedenborg não "soubesse o que é o amor": durante a trajetória de seus oitenta e quatro anos, sua experiência a respeito do assunto foi nula.

O solteirão convicto passou seu tempo na Terra escrevendo sobre amor, casamento e – talvez não seja tão surpreendente – frustração sexual. Swedenborg acreditava que a repressão dos impulsos sexuais fazia mais mal à sociedade do que sexo antes do casamento, pois

> em se tratando de alguns homens, o amor do sexo não pode, sem causar danos, ser impedido de partir para a fornicação. Não há necessidade de contar as feridas pela excessiva restrição que o amor [pelas mulheres] pode causar naqueles que [...] sofrem de intensa excitação venérea.*

* Swedenborg provavelmente se referia à *vasocongestão* ou ao *priapismo*. Vasocongestão (ou "bolas azuis") é um acúmulo doloroso, embora inofensivo, de fluidos nos testículos e na próstata, causado por prolongada excitação sexual. Apesar de as "bolas azuis" serem desconfortáveis e exigirem liberação, a condição não é conhecida por causar "danos". O priapismo, por outro lado, é uma ereção persistente que pode durar quatro horas ou mais. Essa rara condição é motivada por diversas doenças ou drogas (por exemplo, Viagra). Se não for tratado, o priapismo pode resultar em morte do tecido.

As próprias necessidades reprimidas levaram a vívidos sonhos eróticos, que ele registrou num diário, de 1743 a 1744. Um de seus sonhos mais extravagantes envolveu um *ménage à trois* com duas mulheres, uma mais velha e outra mais jovem que ele. Com qual mulher ele deveria fazer amor primeiro? Swedenborg acreditava que o sonho representava um dilema que enfrentava em seus escritos: deveria continuar com seu trabalho intelectual ou seguir um novo caminho, o espiritual? Ele escolheu a mulher mais jovem, decidindo assim partir para os estudos teológicos.

Com cinquenta e seis anos, Swedenborg imergiu no novo rumo espiritual, acreditando que podia se comunicar com pessoas mortas. Passou a travar longas conversas com pessoas amadas que já haviam partido, alucinações elaboradas que alimentavam seus escritos. "Estou ciente de que muitos dirão que ninguém pode falar com espíritos e anjos enquanto viverem neste corpo", escreveu.

Swedenborg publicou suas palavras sobre o amor, inspiradas divinamente, no bem-sucedido livro *O amor conjugal*. (Ele definia "amor conjugal" como "amor espiritual".) Ao contrário de outros teólogos, abraçou o conceito de sexo antes do casamento. "O espiritual se origina, na verdade, do natural, e, no momento em que o espiritual se desenvolveu, o natural o abrange como a casca faz com a madeira e como a bainha faz com a espada".* Além disso, argumentava, o casamento terreno tem um objetivo específico: reproduzir para encher o Céu de novos cidadãos. Apesar de o sexo pré-nupcial dever ser desencorajado, o Céu sempre pode lançar mão de mais anjos.

No leito de morte, Swedenborg conversava com anjos no quarto como se fossem seres vivos. Um pastor perguntou por que mais ninguém conseguia ver esses espíritos. O virgem de

* Nenhum duplo sentido intencional – Swedenborg estava além dessas bobagens pueris.

oitenta e quatro anos respondeu que era porque a maioria das pessoas tinha uma "mentalidade carnal". Os anjos agraciavam Swedenborg com a presença deles em virtude de sua castidade, tanto de corpo quanto de mente.

NAS PALAVRAS DELE

O prazer do sexo angelical

A linha direta de Emanuel Swedenborg com Deus permitiu que observasse algo que poucos mortais conseguem: os hábitos conjugais dos anjos.

O casamento, aparentemente, não termina no "até que a morte os separe". Swedenborg escreveu que "maridos que amaram as esposas, quando morrem, têm o desejo de saber se elas estão bem, e se voltarão a encontrá-las". Casais realmente *se encontram no Paraíso, e, se o amor deles for "bom e verdadeiro", podem continuar a viver juntos como marido e esposa, desfrutando "de comunicação similar entre os dois, tal como no mundo, mas com mais deleite e bênçãos" (quer dizer, nada de brigas sobre questões triviais como quem deveria lavar os pratos ou cuidar do jardim). Se um casal continuasse a brigar no reino espiritual (por qualquer razão), seria algo facilmente remediado: um novo anjo-esposa seria providenciado.*

O amor celestial entre um casal consiste não em prazeres carnais, mas em "delícias celestiais". Um Anjo Real, Segurando uma Trombeta, contou a Swedenborg que o sexo existe "no Céu, assim como na Terra; mas apenas com aqueles no Céu que estejam casados em nome do bem e da verdade".

David Hume

(1711-1776)

"Pude escolher a pessoa com quem iria me unir em casamento. Pude escolher, é verdade, minha prisão; mas esse é apenas um pequeno conforto, já que ainda é uma prisão."

De acordo com seu colega, Denis Diderot (p. 74), David Hume lembrava "um bem alimentado monge cisterciense". A *Stanford Encyclopedia of Philosophy* é muito mais gentil com o economista escocês, chamando Hume de "o mais importante filósofo de língua inglesa".

Hume acreditava que o amor romântico "é derivado da conjunção de três diferentes impressões ou paixões":

1. A agradável sensação que surge da beleza.
2. O apetite físico para se reproduzir.
3. Uma grande dose de gentileza ou boa vontade.

Não há indicação de que qualquer uma dessas paixões tenha resultado em amor para o próprio Hume. A coisa mais próxima de um relacionamento romântico em sua vida foi a amizade com a *socialite* francesa Comtesse de Boufflers. Eles se corresponderam antes de se conhecerem na França, em 1763. Apesar de passarem muito tempo juntos durante o ano seguinte, nunca se envolveram sexualmente. Ela acabou abandonando-o para se unir a um amante mais atraente, o príncipe de Condé.

O desprezo da condessa pouco perturbou Hume. "Apesar de sentir um prazer especial na companhia de mulheres modestas, não tenho nenhuma razão para ficar descontente com a maneira com que me recebem", escreveu com naturalidade.

NAS PALAVRAS DELE

O jogo da culpa

Hume escreveu que as mulheres querem o domínio sobre os homens, e que os homens desejam dominar as mulheres. Ele achava que ambos os sexos estavam equivocados nessa eterna luta por poder, mas tinha sido o homem quem começara a história: "Se não abusássemos de nossa autoridade [sobre as mulheres], elas nunca teriam pensado que valeria a pena contestá-la".

Jean-Jacques Rousseau
(1712-1778)

"O que é o amor verdadeiro em si, a não ser uma ilusão? Se víssemos quem amamos exatamente como é, não haveria mais amor na Terra."

O filósofo do Iluminismo francês, Jean-Jacques Rousseau, acreditava que o estado natural da humanidade havia sido corrompido pela sociedade. "O homem nasce livre; e em todo lugar está acorrentado", escreveu. "Mas a natureza humana não retrocede, e nunca voltamos aos tempos da inocência e da igualdade, quando nos afastamos delas". Instrumentos políticos como o casamento são "cadeias" necessárias às quais devemos nos submeter voluntariamente. A família nuclear – construída ao redor do centro constituído por um marido e uma esposa – é inerente à coesão da sociedade.

No entanto, sua vida privada não poderia ter sido mais distante de sua filosofia: Rousseau teve muitos relacionamentos românticos e ignorou as responsabilidades de pai quando apareceram. A família nuclear, aquela camisa de força necessária que todos os homens devem usar, não cabia em Rousseau.

Em sua autobiografia, ele contou sobre os relacionamentos com mulheres de classe alta como Madame de Larange, Madame de Savoy e Madame de Warens. A nobre Warens levou-o para casa, onde Rousseau viveu com ela e o administrador da casa num *ménage à trois* ilícito. Rousseau considerava Warens o amor de sua vida, mas acabaram se separando quando ele conseguiu um emprego em outra cidade.

Apesar dos relacionamentos com damas da alta sociedade, a relação mais longa de Rousseau foi com Thérèse de Levasseur, uma costureira analfabeta que conheceu em março de 1745. Tiveram cinco filhos, uma família grande... ou pelo menos teria sido, se ficassem com alguns deles: Rousseau abandonou pessoalmente cada um dos filhos num asilo francês (uma espécie de associação que abrigava crianças não desejadas). As crianças teriam interferido em seu importante trabalho filosófico, argumentava ele.

Nem Rousseau nem Levasseur eram fiéis um ao outro, mas, depois de abandonar o quinto e último filho, em 1768, decidiram se casar. O casamento não era legal, já que uniões entre católicos (Rousseau) e protestantes (Levasseur) não eram reconhecidas na França àquela época. Isso não incomodou Rousseau, que, por si próprio, já não reconhecia Levasseur de quase nenhuma maneira: em vez de se referir a ela como esposa, preferia chamá-la de "governanta". Ele manteve seus "serviços" até a morte, em 1778.

NAS PALAVRAS DELE

Um tapinha não dói

As tendências sexuais de Rousseau estão bem documentadas em Confissões, *sua autobiografia publicada postumamente. Seus apetites estavam em duro contraste com o código moral convencional que ele defendia nos escritos filosóficos, as passagens mais lascivas apresentando franca admissão de seus vários fetiches, entre eles, masoquismo, surras e exibicionismo.*

Sobre sadomasoquismo:
Cair aos pés de uma amante forte, obedecer suas ordens ou implorar perdão foram para mim um dos prazeres mais deliciosos, e, quanto mais meu sangue ficava inflamado pelos esforços de uma imaginação viva, mais eu adquiria a aparência de um amante queixoso.

Sobre surras:
[Minha governanta, a senhorita Lambercier], frequentemente [nos] ameaçava [com surras], e essa ameaça de um tratamento inteiramente novo me pareceu extremamente espantoso; mas, depois da execução, descobri que era menos terrível que a ideia, e, o que é peculiar, essa punição aumentou minha afeição pela pessoa que a infligia. [...] Quem iria acreditar que essa disciplina infantil, recebida aos oito anos de idade, das mãos de uma mulher de trinta anos, influenciaria minhas propensões, meus desejos, minhas paixões pelo resto da minha vida, e funcionaria ao revés do que poderíamos naturalmente ter esperado?

Sobre exibicionismo:
Eu caminhava por becos escuros e pontos solitários onde poderia me mostrar às mulheres. [...] O prazer absurdo que tenho ao me mostrar diante delas é quase indescritível. [...] As mais sensíveis fingiam que não tinham visto nada. Outras começavam a rir.

Denis Diderot
(1713-1784)

"Dizem que o amor rouba daqueles que possuem a sagacidade, e a entrega àqueles que não a possuem."

Quando Denis Diderot decidiu se tornar escritor, aos vinte e um anos, já havia tentado e fracassado em carreiras como as de clérigo, médico e advogado. Embora essas outras ocupações pagassem mais, o coração de Diderot estava inclinado à vida literária. Pelos dez anos seguintes, viveu na pobreza, ganhando dinheiro com traduções, escrevendo sermões e lecionando aulas particulares.* A existência boêmia "foi feita para parecer romântica no papel [...], [mas] era esquálida e desprezível o suficiente na realidade", escreveu Evelyn Beatrice Hall sobre a luta de Diderot para se manter como escritor *freelance* na França do século XVIII.

Em 1743, Diderot vivia com uma costureira pobre e a mãe dela. A costureira, Antoinette Champion, não tinha estudos, mas conquistou o coração do filósofo mesmo assim. Para iniciar a relação, Diderot pediu que Antoinette lhe fizesse uma roupa, afirmando que entraria no seminário jesuíta e precisava de um traje novo. (Ele não planejava fazer nada disso.) Felizmente para ele, suas habilidades para gracejos eram melhores do que qualquer artimanha elaborada poderia supor. Logo, eles se casaram.

* As aulas particulares duraram pouco. "Estou fazendo crianças se tornarem homens, talvez; mas elas estão fazendo de mim uma criança", falou um frustrado Diderot aos pais de um de seus alunos.

O ciúme rapidamente tomou conta de Diderot, que pediu que a nova esposa parasse de costurar, temendo que sua ocupação a colocasse em contato com outros solteiros desesperados em busca de amor. Contando apenas com as esporádicas fontes de renda de Diderot e a magra poupança da mãe de Antoinette, os três continuaram a viver na pobreza. "O cada vez mais popular Diderot estava sempre sendo convidado para jantar com os amigos, e sempre ia; enquanto em casa [a esposa e a sogra] se banqueteavam com pão seco", escreveu Hall.

Além das inevitáveis brigas por falta de dinheiro, Diderot considerou a realidade da vida de casado restritiva à sua sensibilidade boêmia. Decidiu que as paixões não podiam ser contidas por "um voto sem sentido" como o casamento. "Qual é o nobre objetivo do zelote que se tortura como um louco para não desejar [e] não amar nada?", escreveu. Amantes são paixões a serem perseguidas, não aprisionadas. Enquanto Antoinette viajava em visita à família, Diderot começou um caso com Madame de Puisieux.

Madame era louca por roupas. Tirou de Diderot todo o dinheiro que ele tinha, mas, de modo irônico, foi inspiração para alguns de seus melhores trabalhos: *Ensaio sobre o mérito e a virtude* e *Pensamentos filosóficos*. Certo dia, apareceu com roupas extravagantes que ele não havia lhe comprado. Diderot a seguiu e a flagrou com outro homem. O filósofo ciumento "renunciou a ela tão fácil e calorosamente quanto tinha se apaixonado", de acordo com Hall.

A paixão seguinte foi Sophie Volland. Eles trocaram cartas por vinte e oito anos, muitas das quais foram mais tarde queimadas pela esposa de Diderot. Acadêmicos especularam que Diderot e Volland foram amantes, mas qualquer prova concreta de tal caso provavelmente virou cinza.

Os escritos de Diderot acabaram tornando-o famoso, e ele se transformou em um homem rico quando vendeu a biblioteca pessoal para Catarina, a Grande. A esposa deu à luz uma menina, mas o casamento problemático jamais progrediu; sua depressão após a súbita morte de Sophie Volland, em 1784, não ajudou em nada a delicada situação.

Nove meses depois do falecimento de Volland, Diderot morreu de repente, enquanto comia um damasco na mesa de jantar com a família. Suas últimas palavras foram: "Que mal isso poderia me fazer?"

NAS PRÓPRIAS PALAVRAS DELE

Queime depois de ler

Muitas das cartas de amor entre Diderot e Sophie Volland foram consumidas pelo fogo, graças à esposa dele (algo nada surpreendente), mas algumas sobreviveram:

> *Julho de 1759: Sou totalmente seu - você é tudo para mim; vamos sobreviver a todos os problemas da vida que o destino infligir sobre nós; você vai abrandar minhas dificuldades; vou confortá-la nas suas. [...] Não é verdade, minha querida Sophie, que você é muito amável? Examine-se - veja como vale a pena amá-la; e saiba que eu a amo muito. [...] Sou tão feliz quanto um homem pode ser por saber que sou amado pela melhor das mulheres.*
>
> *Vinte de outubro de 1759: Você me ama. Sempre vai me amar. Acredito em você: agora sou feliz. Vivo novamente. Posso falar, trabalhar, jogar, caminhar - fazer o que eu quiser. [...] Eu a amaria ainda mais, se soubesse como.*

Immanuel Kant

(1724-1804)

"A união sexual é o uso recíproco que um ser humano faz dos órgãos sexuais e da capacidade do outro."

O filósofo alemão Immanuel Kant era "mais seco do que poeira, tanto de corpo quanto de mente", de acordo com seu contemporâneo Johann Friedrich Reichardt. Kant viveu cada dia de acordo com uma agenda rígida, e os vizinhos acertavam o relógio por suas caminhadas noturnas. Nunca transpirou – nenhuma vez em toda a vida. Não é de surpreender que sua vida amorosa fosse igualmente árida.

Kant acreditava que sexo antes do casamento – e qualquer ato sexual para outros fins que não a procriação – era imoral. Além disso, o desejo sexual em si era errado, já que transformava a pessoa "num objeto. [...] Assim que a pessoa é possuída e o apetite saciado, ela é descartada, como se joga fora um limão depois de espremer todo o suco".

O desejo sexual só era permitido no casamento, quando então ambos se transformavam em objetos equivalentes de desejo. Kant comparava o sexo pré-nupcial à escravidão sexual, já que a sexualidade de uma pessoa se daria sem um contrato que garantisse igualdade entre as duas partes. "Não só é admissível para homem e mulher se entregarem e aceitarem um ao outro por prazer sob a condição do casamento, mas também pertinente que façam isso apenas sob essa condição." Kant via o casamento como um contrato de copulação, por meio do qual ambas as partes ganhavam "posse eterna dos atributos sexuais um do outro".

Não é de admirar que jamais tenha encontrado uma mulher que concordasse com sua visão clínica de casamento. Com o passar dos anos, duas mulheres o interessaram, mas Kant nunca foi atrás de nenhuma delas. "Quando precisava de uma esposa, não podia sustentá-la", lamentou-se mais tarde, citando a pobreza como principal razão de nunca ter tentado se lançar em uma relação. Na verdade, era inconcebível que Kant tolerasse qualquer tipo de perturbação em sua agenda diária extremamente organizada.

NAS PALAVRAS DELE

Mãos para o alto!

Apesar de Kant ter pouca ou nenhuma experiência com mulheres, parecia ter ainda menos experiência no trato consigo mesmo. Recusava-se até mesmo a nomear o "pecado supremo" do autoestímulo, mas podemos ler nas entrelinhas com facilidade:

> *Que tal uso antinatural (e, portanto, abusivo) do atributo sexual de alguém seja uma violação do dever consigo mesmo e, na verdade, contrário à moralidade em seu mais alto grau é evidente a todos, de imediato, à simples menção desse pensamento, e provoca tamanha aversão, que é considerado indecente até mesmo chamar esse vício pelo nome apropriado. [...] No caso do vício antinatural, é como se o homem em geral se sentisse envergonhado de ser capaz de se tratar de tal forma, o que o põe abaixo da categoria das bestas.*

Kant acreditava que a masturbação era um pecado pior até do que "matar a si próprio". O suicídio, argumentava, exigia coragem; o masturbador estaria apenas se entregando, sem resistência, à luxúria.

Nicolas Chamfort

(1741-1794)

"O mundo ou destrói, ou fortalece o coração."

Quando o diretor da escola parisiense sugeriu que se tornasse padre, Sébastien Roch Nicolas respondeu: "Jamais seria padre. Gosto muito de dormir, de filosofia, de mulheres, de honra e fama".

Com vinte anos, Nicolas começou a progredir como dramaturgo. Mudou seu nome para "Nicolas Chamfort", para disfarçar as raízes camponesas, e eliminou dois anos da própria idade para assumir o papel de criança-prodígio. Chamfort, estudioso e galã, amarrotava os lençóis de lindas atrizes e nobres, e sua energia entre quatro paredes fez com que ganhasse o apelido de Hércules.* Por um tempo, viveu seu lindo sonho de sono, filosofia, mulheres, honra e fama.

Então, aos vinte e cinco anos, perdeu tudo.

Uma doença desconhecida (possivelmente venérea) atacou-o, deixando-o incapaz de ler, escrever e até mesmo de caminhar por vários meses. A misteriosa doença afligiu boa parte de seu corpo, do sistema nervoso ao digestivo. Quando se recuperou, o jovem alegre e confiante, que tinha sido uma das pessoas mais populares da cidade, havia desaparecido

* Sua maior conquista foi *Mademoiselle* Guimard, dançarina de quarenta e cinco anos que, se acreditarmos num informe da polícia da época, tinha os "mais lindos seios do mundo".

para sempre. E um pessimista que cuspia fogo pelas ventas tinha emergido das cinzas.

A razão para tal mudança de atitude era bastante evidente: a doença havia marcado permanentemente sua beleza e, mais horrível ainda, desfigurara-lhe os genitais – um golpe devastador para um homem que antes havia depositado tanto valor nas relações físicas. Chamfort foi forçado a contemplar como tinha levado sua existência, e não gostou do que descobriu: "O momento em que as ilusões e as paixões da juventude são despedaçadas, em geral, provoca tristeza, mas, às vezes, chegamos a odiar o *glamour* que nos ludibriava".

O amor, nesse momento de sua vida, não tinha sido nada mais que "contato de peles". A doença forçara seu coração a um estado de exílio, e quinze anos se passaram antes de, enfim, experimentar as profundezas do verdadeiro amor com a viúva Marthe Buffon, de cinquenta e três anos.

"Existia algo maior e melhor que amor [entre nós], já que havia total união de ideias, sentimentos e atitudes", escreveu Chamfort, mais tarde, a respeito do romance deles. Infelizmente, é provável que seu membro tenha impedido o contato sexual. Em 1782, Chamfort e Buffon se mudaram para o campo, onde foram realmente felizes juntos. Chamfort amava Buffon "tão ardentemente quanto uma amante, tão ternamente quanto a própria mãe", de acordo com o escritor e amigo Noël Aubin.

Depois de apenas seis meses no campo, Buffon ficou doente e morreu nos braços do amado. Com a felicidade estilhaçada mais uma vez, Chamfort voltou a Paris.

Fez uma última tentativa de romance com Julie Careau, dançarina de vinte e dois anos. "Chamfort foi tomado por uma terrível febre de amor que animei nele, sem a menor intenção de fazer isso", escreveu Julie. Rejeitado, desistiu do amor e se resignou ao trabalho nos últimos dez anos de sua vida.

Em 1793, encarando a prisão em detrimento de comentários sarcásticos que fizera contra membros do governo, Chamfort tentou cometer suicídio.* "Viver é uma doença cuja dor o sono tranquiliza a cada dezesseis horas; o sono é apenas um paliativo; só a morte cura", escreveu.

NAS PALAVRAS DELE

Em 140 caracteres, ou menos

Aforismos são tiradas curtas e cínicas, baseadas na experiência pessoal. Nicolas Chamfort era o mestre indiscutível dessa arte do século XVII e XVIII; eis alguns de seus maiores sucessos:

- *Deve-se fazer a escolha entre amar as mulheres e conhecê-las; não existe meio-termo.*
- *O amor se parece com doenças epidêmicas: quanto mais se teme, mais se está passível de ser infectado.*
- *O casamento segue o amor como a fumaça segue a chama.*
- *O amor dá mais prazer do que o casamento pela mesma razão que os romances são mais divertidos que os [livros] de história.*

* Seu suicídio foi um fracasso. Chamfort deu um tiro no rosto – arrancando o nariz e parte da mandíbula – e se apunhalou no pescoço e no peito com um cortador de papel. Foi encontrado inconsciente numa poça de sangue, vítima de vinte e dois ferimentos autoinfligidos. Viveu mais cinco meses sofrendo de dores lancinantes, antes de enfim falecer por causa de infecções.

Johann Wolfgang von Goethe
(1749-1832)

"Amor é algo ideal, casamento é algo real; a confusão entre real e ideal nunca sai impune."

Johann Wolfgang von Goethe foi um dos primeiros românticos alemães a transformar sofrimento em arte. Ele teve uma série de paixões por mulheres inacessíveis ao longo da vida, resultando num eterno coração partido, que alimentava seus escritos.

Apaixonou-se primeiro na tenra idade de quinze anos por uma das colegas de escola. "Ela não dava a mão para ninguém, nem para mim; não permitia que tocassem nela; mas, muitas vezes, se sentava sozinha perto de mim", escreveu, otimista, sobre a garota anônima. "Se, no entanto, eu me aventurava [...] em sua direção, ela recuava".* A certa altura, conseguiu roubar um beijo da jovem, dado na testa dele. "Foi

* Ela pode ter lido algumas das poesias eróticas que ele escrevia no tempo livre. Eis um trecho de um de seus últimos poemas, "O rei Elfo": "Eu a amo, sua forma de fada me excita; e, se não estiver disposta, devo usar a força".

a primeira e a última vez que ela me concedeu este favor, pois nunca mais a vi."

Ela mudou de cidade; Goethe mais tarde ficou devastado ao saber que a garota havia se referido a ele como um pirralho. "Seu comportamento frio e distante, que antes tinha me encantado, agora me parecia bastante repugnante", escreveu: "Esta flecha com pontas afiadas foi arrancada de meu coração".

O jovem Goethe ficou deprimido. Não comia nem dormia bem. Os efeitos do caso se prolongaram por toda a sua vida; ele o chama de grande "infelicidade" em sua autobiografia, lamentando que ela tivesse sido "tirada" dele (quando, evidentemente, jamais a possuíra).

Quando adulto, apaixonou-se loucamente por uma amiga, Charlotte von Stein. Não há indicações de que ela nutrisse sentimentos recíprocos – casou-se e tinha sete filhos que competiam por sua atenção. Mas Goethe não quis ocultar sua paixão por ela, e fez tentativas de conquistá-la durante os doze anos em que viveu perto de sua família. Ela aceitou a amizade dele, mas, de maneira educada, evitou os avanços. Goethe acabou partindo para a Itália, e eles se corresponderam até a morte dela, em 1827.

Relacionamentos sexuais concretos parecem ter sido perturbados pelo amor "secreto" de Goethe por sua irmã mais nova, Cornélia. Goethe, porém, teve dificuldades em manter o segredo, e escreveu sobre o tabu em sua autobiografia: "[Ela me garantiu] que eu era o único que realmente a amava, entendia e estimava. [...] Estamos infinitamente infelizes, e tanto mais porque, neste caso específico, os confidentes não poderiam se transformar em amantes".

O casamento de Cornélia destruiu suas fantasias, mas também pode ter também incentivado Goethe a seguir com a própria vida. Ele conheceu Christiane Vulpius, a primeira mulher a realmente sentir o mesmo que ele. Perdeu sua virgindade com ela, evitando por pouco o estigma de ser chamado de virgem aos quarenta (por menos de um ano). Viveram juntos e tiveram vários filhos, casando-se oficialmente em 1806.

Depois da morte de Christiane, em 1816, apaixonou-se por outra jovem, Ulrike von Levetzow. A mãe de Ulrike não o aprovava; e ele jamais reuniu coragem para pedi-la em casamento. Para Goethe, de qualquer maneira, o inacessível era muito mais romântico.

NAS PALAVRAS DELE

O rei suicida

Casos de amor não correspondido assolaram a existência de Johann Wolfgang von Goethe até chegar próximo dos quarenta anos. Esses casos - nenhum consumado - forneceram a matéria-prima para sua poesia e prosa.

O livro que levou Goethe à estratosfera do estrelato literário, Os sofrimentos do jovem Werther, *era um romance epistolar sobre um homem que se apaixona por uma mulher casada. O amor do jovem Werther não é correspondido. "Às vezes, tenho comigo que meu destino é único", diz Werther no romance. "Considere todos os outros homens afortunados, digo a mim mesmo; ninguém já sofreu como você."*

Alerta de spoiler*! O jovem Werther, cansado de viver em estado de agonia, dá um tiro em si mesmo no final do romance. Para criar o personagem de Werther, Goethe se baseou no amigo Jerusalem, que se matou da mesma maneira após um relacionamento amoroso. Ele também lutou contra pensamentos suicidas por diversas vezes:*

> *Entre uma considerável coleção de armas, eu tinha uma adaga linda e bem polida. Levava-a toda noite comigo para a cama, e, antes de apagar a vela, tentava ver se podia conseguir enfiar a ponta afiada alguns centímetros em meu coração.*

Ele credita o fim dos próprios sintomas depressivos ao ato de criar o Werther. *O romance teve efeito oposto no público.*

O livro foi uma sensação literária por toda a Europa após sua publicação em 1774. Resultou em muitos jovens de coração partido vestindo calças amarelas, jaquetas azuis e camisas de gola aberta, assim como o protagonista de Goethe. Infelizmente, muitos jovens também pagaram tributo ao novo herói cometendo suicídio.

*Suicídios à imitação da obra espalharam-se por todo o continente. "Porque é preciso somente uma pequena chama para explodir uma mina imensa, por isso, a explosão que se seguiu à minha publicação foi poderosa", escreveu Goethe. Autoridades na Itália, Alemanha e Dinamarca baniram o livro, numa tentativa de evitar que infectasse por completo uma geração de jovens infelizes. No final, a subcultura de sofrimento que o livro disseminou saiu de moda, assim como qualquer outro modismo.**

* Só para ser revivida (exceto quanto ao detalhe do suicídio) pelo grupo inglês The Cure no começo dos anos 1980.

Georg Wilhelm Friedrich Hegel
(1770-1831)

"A diferença entre homem e mulher é a mesma que entre um animal e uma planta."

O filósofo alemão Georg Wilhelm Friedrich Hegel escreveu: "O amor só pode acontecer com alguém igual, o espelho, o eco de nosso ser". Como a humanidade foi criada à imagem de Deus, concluiu ele, este é o único igual que merece o verdadeiro amor; o romance terreno é apenas uma vaga aproximação do amor divino. Isso não impediu que Hegel fosse pai de um filho ilegítimo com a esposa de seu senhorio, Christiana Burkhardt. Apesar de Christiana estar separada do marido, Hegel temia represálias do senhorio e abandonou a cidade depois que o filho nasceu.

Em setembro de 1811, com quarenta anos, Hegel se casou com Maria Helena Susanna von Tucher, uma mulher esbelta com metade de sua idade. Tiveram dois filhos, e aceitaram o filho ilegítimo dele com Christiana como parte da família, em 1816.

O casamento criou uma distância devastadora entre Hegel e sua irmã Christiane Luane (não confundir com Christiana Burkhardt, a mãe de seu primeiro filho). Hegel convidou Christiane para ficar em sua casa e ajudar nas tarefas quando a esposa estava grávida do primeiro filho. Ele confidenciou à irmã que seu objetivo no casamento não era a felicidade, mas "estar contente". Christiane, que sempre tinha sido próxima do irmão, abandonou a casa num acesso de raiva, levando a especulações de que havia se apegado de forma antinatural a ele, e que não podia aguentar vê-lo com uma mulher a quem reconhecidamente não amava.

Hegel temia que a irmã estivesse mentalmente enferma e se distanciou dela, bem como sua nova família. Em 1831, três meses depois da morte de Hegel, Christiane confirmou todas as suspeitas ao se afogar propositalmente.

NAS PALAVRAS DELE

Este é para as damas

As crenças misóginas de Hegel eram um anacronismo mesmo para o começo do século XIX, quando seu contemporâneo Arthur Schopenhauer (p. 96) chamou-o de "último monumento da estupidez alemã". As visões de Hegel estão ultrapassadas, como se pode depreender deste breve fragmento:

> *As mulheres podem, claro, ser educadas, mas a mente delas não está adaptada às altas ciências, à filosofia ou a certas artes. As mulheres podem ter inspirações felizes, gosto, elegância, mas não possuem o ideal. A diferença entre homem e mulher é a mesma que entre animal e planta. O animal corresponde com mais proximidade ao caráter do homem, a planta ao da mulher. [...] Se a mulher estivesse no controle do governo, o Estado estaria em perigo, pois elas não agem de acordo com os ditames da universalidade, mas são influenciadas por inclinações e opiniões acidentais.*

Arthur Schopenhauer
(1788-1860)

"O amor é apenas o desejo das espécies de sobreviverem, a necessidade de propagar as espécies."

O grande pessimista alemão Arthur Schopenhauer sabia exatamente o que queria numa mulher. "Um pouco de carne [...] [e] um seio farto e feminino possuem um charme incomum".* Infelizmente, ele acreditava não ter o que as mulheres procuravam em troca. De acordo com Schopenhauer, todas as mulheres querem um homem de

> Trinta a trinta e cinco anos. [...] Se não é muito inteligente, não é um problema para a mulher; em vez disso, excessivo

* Os peitos grandes não eram para Schopenhauer, mas para seus filhos: um peito bem desenvolvido "promete muita nutrição ao recém-nascido".

> poder mental ou até genialidade, sendo uma anormalidade, pode agir desfavoravelmente. Portanto, em geral vemos um homem feio, estúpido e rude passar à frente de um homem bem-nascido, talentoso e afável.

No fim, tudo isso tinha pouca importância para Schopenhauer, pois todos os casos românticos estariam condenados, de qualquer maneira. "Depois que finalmente obteve satisfação, todo amante vai experimentar um maravilhoso desapontamento", escreveu. "Depois da realização final do grande trabalho, [todo amante] acaba sendo enganado: pois a ilusão desapareceu."

Ele "completou", pelo menos, um grande trabalho, sendo pai de uma criança com uma empregada em Dresden. Não há registro histórico do nome da mulher ou do da criança – sabemos deles apenas por intermédio de cartas que Schopenhauer enviou à irmã. O relacionamento aparentemente esteve fadado a uma única noite. Sua filha morreu quando era bebê, em 1819, e ele nunca mais viu a empregada. (Apesar de ter sido sua única filha, Schopenhauer acreditava que "um homem pode convenientemente gerar mais de cem crianças por ano, se tivesse esse número de mulheres à disposição".)

Em 1821, o filósofo de trinta anos começou a se encontrar com uma cantora de ópera de dezenove, Caroline Richter – um caso notável, porque ela foi uma das poucas mulheres que correspondeu a suas afeições. Schopenhauer sabotou o relacionamento com suas opiniões sobre o casamento, o que pode ter dado um novo significado ao "medo de compromisso": "Casar significa dividir os direitos de uma pessoa e dobrar seus deveres". Não é preciso muito esforço para concluir que Caroline deixou Schopenhauer.

No que poderia ser a tentativa final de um romance, Schopenhauer, aos quarenta e três anos, voltou as atenções para Flora Weiss, de dezessete. Aproximou-se dela numa festa com algumas uvas na mão (é provável que rosas fossem caras demais para um filósofo de meio expediente). Os sentimentos não eram mútuos; como Flora relembra em seu diário: "Não quis as uvas, pois o velho Schopenhauer havia tocado nelas".

Schopenhauer, sozinho e amargurado, ansiava pela "restauração da mulher à sua posição correta e natural, a de subordinada". A humanidade não esperava muito desse sexo mais formoso. "As mentes mais eminentes provaram ser incapazes de uma realização realmente grande, genuína e original na arte, assim como na criação de algo de valor duradouro", escreveu em sua obra-prima da misoginia, *A arte de lidar com as mulheres*. "Podemos dizer que, ao publicar com franqueza tais sentimentos para o mundo, ele não melhorou em nada suas chances [com as mulheres]", afirmou o pesquisador de filosofia Alexander S. Rosenthal.

Schopenhauer morreu sozinho em 1860. Talvez tenha sido providencial nunca ter se casado. Apesar de se sentir infeliz solteiro, previu que estaria muito mais em um matrimônio.

> Quando são gratificantes, [os casamentos] levam com mais frequência à infelicidade do que à felicidade, pois suas demandas geralmente entram em grande conflito com o bem-estar pessoal do interessado. [...] [Depois de ter filhos, o amor] de-

saparece e deixa para trás uma companheira odiada para toda a vida. “Quem se casa por amor está condenado a viver na tristeza”, diz um provérbio espanhol.

NAS PALAVRAS DELE

Jack e Jill subiram a colina...*

Arthur Schopenhauer contemplou o amor com grande relutância, como se a carência de uma investigação filosófica sobre o assunto o forçasse *a fazê-lo. "Deve-se perguntar por que um assunto que representa um papel tão importante em toda a vida humana foi escassamente levado em consideração pelos filósofos", escreveu.*

> *Perto do amor à vida, [o amor romântico] prova ser o mais forte e o mais ativo de todos os incentivos; continuamente toma conta de metade das forças e dos pensamentos da porção mais jovem da humanidade; é o objetivo final de quase todo esforço humano; ganha influência sobre as questões mais importantes; interrompe a toda hora as ocupações mais sérias; desequilibra algumas vezes até as maiores mentes. [...] O importante é que todo Jack possa encontrar sua Jill; por que tal besteira representa papel tão importante, trazendo incessante perturbação e confusão às questões bem reguladas da vida?*

* Versos iniciais de uma canção de ninar inglesa.

Auguste Comte
(1798-1857)

"Por mais triste e doloroso que seja o celibato, um mau casamento é muito pior."

Quando Auguste Comte saiu de casa para um passeio noturno, em 3 de maio de 1821, não esperava conhecer sua futura esposa. O filósofo francês, que se autodescrevia como "desprovido de charme e beleza", não conseguia se relacionar com o sexo oposto, então só esperava encontrar uma dama da noite, estabelecer uma "relação comercial" temporária e voltar para casa, a fim de terminar alguns escritos. Encontrou Caroline Massin, prostituta de charme incomum, e, nos seis meses seguintes, "viram-se sempre que ele podia pagar", de acordo com a biógrafa Mary Pickering. Comte parou de visitar Massin depois que uma antiga namorada reapareceu em sua vida, no outono de 1821.

Um ano depois, reencontrou-se com Massin. Ela tinha se aposentado de sua lucrativa linha de negócios, e agora dirigia uma sala de leitura. Estabeleceram uma amizade mais convencional dessa vez. Comte se ofereceu para dar aulas de matemática, a fim de ajudá-la com a parte da contabilidade em seu novo trabalho; no entanto, ela não tinha nenhuma inclinação para um trabalho legítimo e vendeu o empreendimento depois de pouco tempo, planejando morar com um homem de negócios rico que tinha prometido cuidar dela. Quando este mudou de ideia, pensou em voltar à vida nas ruas... a menos, talvez, que Comte a abrigasse. Ele consentiu, mas admitiu ter ficado "um pouco atormentado" pela decisão: apesar de estar solteiro de novo, não conseguia se ver numa relação normal com ela, e estava determinado a manter as mãos longe da nova companheira de casa.

Como ex-prostituta, Massin deveria passar por exames médicos quinzenais. Só havia uma maneira de escapar dos exames e apagar seu nome do registro: casamento. Comte, com raiva das autoridades e, ao mesmo tempo, sensibilizado pela confiança de Massin nele, concordou em se casar. A união aconteceu em 19 de fevereiro de 1825, na prefeitura da cidade.

Depois de menos de dois tensos anos de casamento, Comte sofreu um ataque nervoso que o deixou incapacitado de escrever e dar aulas. Passava o tempo todo deitado na cama ou agachado atrás das portas, como um animal. Quando a esposa tentava intervir, arremessava facas nela. Sua saúde mental passou por altos e baixos no ano seguinte. Incapaz de se recuperar, saltou de uma ponte; um guarda real o tirou da água. Teve uma "recuperação quase milagrosa", graças aos cuidados da esposa – que, para sorte de Comte, não ficara com medo das facas voadoras.

Treze anos depois, o casamento ainda não havia se consolidado. Comte e Massin dormiam em quartos separados. "Sempre pensei que tudo que estava perdido entre nós fazia o restante ser ainda mais precioso", Massin escreveu, em 1839, insinuando a possibilidade de uma reconciliação. Ela queria reacender a "profunda amizade" entre eles, pois o marido ainda ocupava no coração dela "um lugar que nunca poderia [...] ser tomado por qualquer outro".

No entanto, Comte "só queria ficar sozinho e tranquilo". Acreditava que teria completado sua obra-prima, *Curso de filosofia positiva*, em oito anos – em vez de doze – sem a esposa. Ela parecia concordar, e escreveu: "Um homem não está neste mundo somente para escrever volumes para a posteridade [e,] se houvesse menos ciência em casa, haveria muito mais felicidade".

No geral, havia tanta ciência e tão pouca felicidade que eles se separaram quatro vezes: em 1826, 1833, 1838 e 1842. Depois de ser repreendida pelo marido por interromper seu trabalho pela última vez, ela fez as malas para sempre. O divórcio era ilegal na época, mas Comte pagava três mil francos por ano para a esposa, assim, poderia viver em paz. Talvez o relacionamento deles tenha durado muito mais tempo do que se imaginava: Massin era uma mulher atrevida e cheia de opiniões, que já tinha dirigido dois empreendimentos, e se recusava a se render ao marido. "Meu grande crime foi ver em você um marido, não um senhor. [...] Realmente, não sei como ser submissa, mas, *mesmo assim*, eu o amei", escreveu. Ela se tornou governanta, enquanto Comte continuou seus estudos ininterruptamente.

Ele foi pioneiro na pesquisa do comportamento social humano, criando a palavra "sociologia" para descrever seu recém-criado campo científico. Apesar de todo o progresso que fez em seu trabalho, jamais obteve sucesso no estudo dos relacionamentos da própria vida. Até o final, sustentou que

Caroline tinha sido o "único erro irreparável" em sua vida. "Incapaz de estabelecer um relacionamento verdadeiramente amoroso com a família ou a esposa, Comte finalmente escolheu encontrar a gratificação no amor pela humanidade", escreveu Pickering sobre o irônico destino de Comte como especialista em relações sociais.

NAS PALAVRAS DELE

O estranho Evangelho de Comte

Para a maioria dos intelectuais, encontrar um novo campo científico já seria legado suficiente. Não para Comte, que também deu início à própria religião. Depois de se separar da esposa, ficou obcecado por outra mulher, Clotilde de Vaux. Apesar de não serem amantes, a intensa amizade resultou na fundação de uma nova religião secular: o positivismo - movimento religioso baseado na ciência, através do qual tinha-se a intenção de fazer avançar o pensamento intelectual numa sociedade pós-Iluminismo. Comte rebatizou a nova amiga de "Santa Clotildes" em seus manuscritos, depois que ela faleceu, em 1846.

O movimento do positivismo continuou sem sua santa padroeira. Para a nova religião, Comte copiou os aspectos mais populares do catolicismo. (Por que modificar algo que faz sucesso?) Assim, a Santíssima Trindade foi renomeada "Trilogia Positivista" do Grande Ser, do Grande Meio e do Grande Fetiche. Ele chegou a propor um novo calendário para sua religião. Comte pensou em tudo, exceto em um aspecto crucial: seguidores. Apesar de sua religião não ter conseguido juntar mais do que um punhado de devotos comprometidos, abriu caminho para a difusão de organizações seculares humanistas no século XIX.*

* Os meses foram renomeados em homenagem a grandes figuras históricas e literárias: Moisés, Homero, Aristóteles, Arquimedes, César, São Paulo, Carlos Magno, Dante, Gutenberg, Shakespeare, Descartes, Frederico e Bichat. Havia trezes meses em vez de doze. Se Comte tivesse mantido os doze meses (removendo figuras obscuras como Bichat ou Frederico, talvez?), seu calendário poderia ter tido chance de vingar.

Søren Kierkegaard
(1813-1855)

"O amor é tudo; dá tudo e tira tudo."

Søren Kierkegaard, o pai dinamarquês do existencialismo, sentiu pela primeira vez a flechada do amor quando tinha vinte e quatro anos.* Regine Olsen, então com quinze anos, encantou o mal-humorado filósofo. A paixão interrompeu temporariamente o perpétuo estado de melancolia. "Meu Deus, por que esses sentimentos despertam exatamente agora – oh, como me sinto solitário!", foram as palavras que Kierkegaard escreveu em seu diário em relação ao amor que sentia pela jovem.

Verdadeiro cavalheiro, Kierkegaard esperou até que ela completasse dezoito anos para pedi-la em casamento. "Tenho querido você pelos últimos dois anos", contou, quando ela

* Ou será que sentiu a "flechada do amor" antes? Há uma história, muito repetida, de que Kierkegaard visitou um bordel um ano antes de conhecer Regine Olsen, tendo ficado envergonhado eternamente pela lembrança daquela visita. Uma anotação no diário de 1836 mencionou um vago incidente com "risadas bestiais", que poderiam ser interpretadas como uma referência velada a tal visita. "Um tal episódio durante sua vida de estudante, tumultuada devido ao excesso de bebida, não parece algo improvável", escreveu John Updike.

completou a maioridade. Primeiro, a jovem ficou em silêncio, depois, mencionou que vinha se encontrando com um de seus ex-professores. Kierkegaard não se importou. "Tenho prioridade", falou com autoridade.

A jovem ficou em silêncio novamente. Por fim, ele foi embora sem uma resposta.

Kierkegaard não desanimou, e resolveu fazer uma visita ao pai de Regine. Ele "não disse nem sim, nem não", mas garantiu outro encontro do jovem enamorado com sua filha. Quando Kierkegaard fez uma segunda tentativa, Regine sucumbiu à sua persistência e o aceitou.

Longe de se sentir exultante, a depressão de Kierkegaard se acentuou.

Ele escondeu seus pensamentos obscuros da noiva – com tanto sucesso que, depois de um ano de noivado, mencionou, confiante: "ela realmente não me conhece". Em vez de contaminar Regine com seu desespero, procurou terminar o noivado com o menor escândalo possível, ao rompê-lo por intermédio de uma carta. Ela respondeu que ele poderia fazer "qualquer coisa com ela, absolutamente qualquer coisa"... exceto abandoná-la.

Nos dois meses seguintes, Kierkegaard agiu de maneira grosseira com Regine, fazendo o papel de vilão, na esperança de que a amada o deixasse. Ele considerou que o momento era "horrivelmente doloroso – tendo sido tão cruel com ela e a amando como amei".

Quando o noivado acabou, após treze meses, Olsen perguntou a Kierkegaard se ele se casaria algum dia. "Sim, daqui a dez anos [...]. Vou precisar de uma garota luxuriosa para me rejuvenescer", respondeu, numa tentativa de afastá-la para sempre. Ela pediu que a beijasse; ele obedeceu: "Mas sem paixão – Deus misericordioso!", comentou. Regine se casou com

John Frederik (Fritz) Schlegel, o antigo professor com quem saía antes do pedido de Kierkegaard.

O filósofo nunca se recuperou de sua traição. Ele se preocupava com o fato de que "ela pudesse ficar louca se descobrisse como eram as coisas de verdade". Pela próxima década e meia, Kierkegaard se enterrou em escritos religiosos. (Jamais se casou com a "garota luxuriosa".) Em seu testamento, deixou tudo que tinha para Regine, já que acreditava que o noivado deles ainda era "uma ligação tão forte quanto um casamento". O marido dela tinha uma interpretação bem diferente e recusou a herança em seu nome.

NAS PALAVRAS DELE

Para sempre em sua mente

Para se devotar a outra pessoa completamente, o amante deve baixar suas defesas - o que o deixa em posição vulnerável. Kierkegaard acreditava que os amantes jamais ficavam sozinhos em sua busca, pois Deus estava sempre olhando por eles:

> *Aquele que está apaixonado esquece a si mesmo e a seu sofrimento para pensar no do outro; esquece toda tristeza para pensar na do outro; esquece o que ele mesmo perde para considerar as perdas da outra pessoa; esquece as próprias vantagens para pensar com amor nas do outro - realmente, tal pessoa não é esquecida. Há alguém que está pensando nela: Deus, lá do Céu.*

Henry Ward Beecher
(1813-1887)

"O casamento é a sepultura do amor."

Quando Henry Ward Beecher foi acusado de adultério, era o pastor mais famoso dos Estados Unidos. Seus inspiradores sermões constituíam uma ruptura profunda com a retórica da época, baseada até então na visão do inferno do Velho Testamento. A filosofia central de Beecher, chamada de "Evangelho do Amor", ensinava que o amor de Cristo era incondicional – teoria revolucionária nos Estados Unidos do século XIX. Milhares de pessoas vinham ouvi-lo na Igreja de Plymouth todo domingo.

Enquanto a esposa Eunice dava à luz e criava os dez filhos, Beecher estava bastante ocupado também. O pregador carismático tinha sofrido com diversos rumores, jamais provados, de flertes sexuais ao longo de toda a carreira, entre eles, relações com a poetisa Edna Dean Proctor e a vizinha, Chloe Beach, que teria dado à luz um filho ilegítimo de Beecher. O caso que provaria ser sua ruína, no entanto, relacionou-se com a paroquiana Elizabeth Tilton.

Elizabeth era esposa do amigo de Beecher, Theodore Tilton. Os encontros começaram em outubro de 1868, quando a sra. Tilton "se entregou" aos avanços de Beecher depois de uma "longa resistência moral". Beecher a convenceu de que o amor deles era "puro", e que ela permaneceria "imaculada e casta" aos olhos de Deus. Certamente, isso era "pura" besteira: a Bíblia que Beecher lia todo domingo jamais corroborou a "pureza do amor" quando se tratava de condenar o adultério. Mesmo assim, seus doces elogios funcionaram com ela... pelo menos, por um tempo. A sra. Tilton confessou seus pecados para o marido em 1870. Apesar de Theodore ter perdoado Beecher, foi incapaz de manter o caso em segredo.

Exceto pelos maridos e esposas diretamente envolvidos, nem todo mundo que descobriu o caso ficou desapontado. A defensora dos direitos da mulher, Victoria Woodhull, era uma das líderes do movimento Amor Livre. O movimento procurava liberar as mulheres da "escravidão sexual" de casamentos sem amor e era pesadamente criticado pelos líderes religiosos da época – entre eles, Beecher. Para os ouvidos de Woodhull, as escapadelas extraconjugais de Beecher soavam como ações suspeitas de um membro não declarado do Amor Livre – não como as de um pastor que defendia a integridade da instituição social do casamento. Na verdade, Woodhull sabia, por meio de fontes fidedignas, que Beecher já tinha falado em particular que o casamento era "a sepultura do amor". Evidências desse caso eram justamente a munição de que o Amor Livre precisava para ganhar força moral no debate público sobre os direitos das mulheres. Woodhull tornou públicas as aventuras de Beecher numa matéria de jornal em outubro de 1872, esperando expor o ministro como um hipócrita. Foi então que começaram os problemas.

A sra. Tilton se retratou do seu lado da história, afirmando não ter dormido com o pastor. (Ela havia se separado do marido, porém, não por causa do adultério, insistia.) Beecher foi exonerado num inquérito efetuado pela Igreja de Plymouth; a sra. Tilton foi excomungada da mesma igreja.

Theodore Tilton, retirando seu perdão, processou Beecher no tribunal civil por manter "conversas criminosas" com a esposa (adultério era crime nos Estados Unidos do século XIX). O julgamento de seis meses fascinou o público, que, por unanimidade, declarou-o o maior escândalo do século. Beecher se recusou a colocar a mão sobre a Bíblia ou professar o juramento antes de seu depoimento. O testemunho contraditório e incoerente convenceu seu rebanho – e três dos doze jurados – de que ele era culpado, mas o julgamento terminou com um júri dividido. Eunice Beecher nunca abandonou o marido, mesmo quando, três anos depois, a sra. Tilton admitiu publicamente ter *mantido* relações sexuais com Beecher.

O ministro perseguido perdeu seu prestígio entre o público, em razão principalmente do escândalo, e morreu em consequência de um derrame em 8 de março de 1887. E, apesar de todo o ataque, a instituição do casamento e a religião cristã sobreviveram tanto ao movimento Amor Livre quanto às incríveis façanhas amorosas de Henry Ward Beecher.

NAS PALAVRAS DELE

Beecher foi um mau menino

"No amor, o frescor e o charme da juventude prenderam a atenção dos homens, e eles pronunciaram que o primeiro amor é o melhor; mas, na verdade, é o mais pobre. Ninguém sabe como amar até ter sentido a disciplina da vida. O amor jovem é uma chama; muito bonito, geralmente bastante ardoroso e feroz, mas, ainda assim, é somente luz e brilho. O amor do coração mais velho e disciplinado é como o carvão que não se apaga", escreveu Beecher. Não se pode afirmar o quanto de "disciplina" havia no coração adúltero de Beecher, mas é certo que ele "não se apagou".

Henry David Thoreau
(1817-1862)

"Se o bom-senso tivesse sido consultado, quantos casamentos jamais teriam se realizado?"

O naturalista norte-americano Henry David Thoreau viveu uma existência simples e próxima da natureza, em que se encontrava livre das trivialidades da sociedade moderna. "A mente pode ser permanentemente profanada pelo hábito de prestar atenção a coisas triviais, de modo que todos os pensamentos sejam tingidos pela trivialidade", escreveu.*

Para um naturalista, as opiniões de Thoreau sobre sexualidade eram surpreendentemente conservadoras. "Amor e luxúria são bem distintos", escreveu. "Um é bom, o outro é ruim". Num mundo ideal, o sexo seria "considerado algo simples e natural [...] [pois] há muito mais pureza, assim como mais impureza, do que fica aparente". O amor puro, quando se baseia em respeito mútuo, eleva o prazer a "deleites superiores".

* Tudo que nos resta é imaginar o que ele teria a dizer sobre o *Facebook*.

Tais deleites mútuos não seriam fáceis para Thoreau. Ele estava mais apto à vida solitária, uma vez que era "feio como o diabo, com nariz comprido, boca estranha e maneiras toscas e rústicas, apesar de ser cortês, correspondendo muito bem com [seu] exterior", de acordo com o vizinho Nathaniel Hawthorne. As maneiras "toscas" de Thoreau incluíam comer com as mãos, raramente tomar banho e usar roupas surradas.

Em 1839, Thoreau e seu irmão John se apaixonaram pela mesma garota, uma amiga da família, Ellen Sewall. O pai dela, um pastor unitário, não aprovava nenhum dos dois jovens Thoreau. John pediu Ellen em casamento primeiro; ela o rejeitou. Henry tentou em seguida, fazendo a proposta por carta. Apesar de a correspondência não ter sobrevivido, uma entrada em seu diário, datada de 1º de novembro de 1840, provavelmente usava uma linguagem semelhante à da carta: "Achei que o sol do nosso amor deveria surgir tão silenciosamente quanto o sol sobre o mar". Apesar da prosa floreada (ou talvez por causa dela), o pedido de casamento de Henry também recebeu pronta recusa.

Depois da proposta rejeitada, Henry escreveu: "O amor é um dos segredos mais invioláveis. Divulgado, até para o amado, não é mais Amor". Ele se apaixonou por outras mulheres ao longo da vida, mas nunca sentiu tanto amor novamente. Escreveu que é "raro, na verdade, encontrarmos alguém com quem estejamos tão bem-dispostos a nos relacionar, bem como ela conosco". Thoreau nunca se casou porque, em sua mente, pelo menos, Sewall era "a escolhida".

NAS PALAVRAS DELE

Henry supermoderno

Alguns acadêmicos teorizaram que Thoreau era um homossexual reprimido. "Nenhum estudo biográfico do escritor é completo sem lidar com a possibilidade de que, mesmo na floresta, Thoreau não saíra do armário", escreveu Nicholas Collias, colunista da Boise Weekly. *Thoreau gostava de observar homens nadando nus, manteve uma grande biblioteca de literatura clássica homoerótica e registrou no diário anotações com conteúdo sexual que falavam de corpos masculinos musculosos e plantas com formato fálico. Suas "ações e palavras [...] indicam um interesse sexual específico por membros do próprio sexo", escreveu o acadêmico Walter Harding no apropriado* Journal of Homosexuality.

Friedrich Engels
(1820-1895)

"Exemplos de monogamia entre pássaros não são prova para os homens, pois não descendemos de pássaros."

O socialista alemão Friedrich Engels não acreditava que a monogamia fosse o estado natural do homem. Rejeitava provas em animais como irrelevantes para o assunto. Segundo ele:

> Se a estrita monogamia é o auge da virtude, então, o prêmio pertence à solitária, que carrega o aparato sexual completo do macho e da fêmea em cada um de seus cinquenta a duzentos segmentos, e passa toda a vida se fertilizando em cada uma delas.

Engels viveu de acordo com suas palavras, raramente se envolvendo com uma mulher ao longo da vida. Numa carta de 1846, tentou persuadir seu bom amigo Karl Marx a visitá-lo em Paris.

> Se eu tivesse uma renda de cinco mil francos, não faria nada além de trabalhar e me divertir com mulheres até me acabar. Se não houvesse as mulheres francesas, a vida não valeria a pena. Mas, enquanto houver *grisettes*, está tudo bem!

Grisettes eram as operárias francesas. Trabalhavam em confecções durante o dia e flertavam com homens à noite. Não eram prostitutas (pelo menos, não todas), mas tinham uma infame reputação de serem "fáceis".* Mesmo assim, Engels condenava a prostituição como "a exploração mais tangível – que atacava diretamente o corpo físico – do proletariado pela burguesia".

Engels desfrutava de muita companhia feminina, desde as já mencionadas *grisettes* em Paris a um par de irmãs irlandesas analfabetas com quem saiu depois. Chegou mesmo a se casar com uma das irmãs, Lizzy Burns, apesar do intenso desprezo pelo casamento. A cerimônia civil, no entanto, foi um estratagema totalmente caridoso por parte de Engels, que se casou com Lizzy pouco antes da morte desta.

Quando Karl Marx teve um filho com a empregada, Helene Demuth, Engels interveio para proteger a reputação do amigo casado. Quando rumores da paternidade começaram a circular, Engels desviou as suspeitas, dando indicações de que o filho era dele, e não de Marx. Essa explicação foi suficiente para a esposa do amigo, aparentemente, já que Demuth nunca perdeu o emprego na casa dos Marx. A identidade do pai do menino foi mantida em segredo até Engels confessar a verdade em seu leito de morte.

* Mark Twain não se importava com o fato de serem fáceis ou não. Escreveu que as *grisettes* eram "como quase todas as francesas que conheci – comuns".

NAS PALAVRAS DELE

O manifesto do *swing*

A família nuclear - marido, esposa e filhos - era um produto burguês do capitalismo. De acordo com o Manifesto comunista, *de Marx e Engels, essa estrutura familiar tradicional foi fundada "sobre o capital, sobre o lucro privado". Eles foram além, condenando todos os casamentos como restritivos. "Tudo que essa monogamia protestante consegue é uma parceria conjugal de tédio pesado, conhecida como 'felicidade doméstica'."*

Engels acreditava que as coisas mudariam depois que a revolução comunista se realizasse. "A verdadeira igualdade entre homens e mulheres pode se tornar uma realidade apenas quando a exploração dos dois pelo capital for abolida", escreveu. Sem propriedade privada, famílias tradicionais se desintegrariam e a troca de esposas poderia ter início.

Fiódor Dostoiévski

(1821-1881)

"O amor em ação é algo árduo e espantoso se comparado ao amor nos sonhos."

O autor russo Fiódor Dostoiévski, cujo trabalho influenciou os existencialistas do século XX, como Albert Camus e Jean-Paul Sartre (p. 170 e p. 152, respectivamente), conheceu Maria Dmitriévna Issáieva quando servia como soldado no regimento siberiano, em 1856. As chances de ficarem juntos eram improváveis: ela já era casada e, ao contrário do melancólico Dostoiévski, era atraente e vivaz. "Não acho que ela o estime muito", escreveu um amigo em comum, o barão Alexander Vrangel. "Era mais como se sentisse pena dele. [...] Apaixonada, de verdade, decididamente ela nunca esteve." Maria via Dostoiévski como um pobre homem "sem futuro". Mesmo assim, aparentemente sentiu pena suficiente para se casar com ele em 1857, depois que o primeiro marido faleceu.

O relacionamento deles foi sólido. "Éramos completamente infelizes, mas não podíamos deixar de nos amar; quanto mais miseráveis nos sentíamos, mais nos apegávamos", escreveu Dostoiévski mais tarde numa carta a Vrangel. "Na verdade, quanto mais infelizes ficávamos, mais próximos nos sentíamos. Por mais que possa parecer estranho; era assim."

Quando Dostoiévski foi diagnosticado com epilepsia, acabou dispensado do exército e voltou com a esposa à cidade natal de São Petersburgo. A mudança terminou sendo fatal para Maria. Ela tinha tuberculose, e o clima úmido da nova cidade piorou sua condição.

Enquanto a saúde dela deteriorava, Dostoiévski, com quarenta anos, começou um relacionamento romântico com a escritora Paulina Súslova, de vinte e dois anos, em 1862. Ela continuou a ser sua amante nos dois anos seguintes, mas a situação era mutuamente insatisfatória. Separaram-se em 1864. O narrador do romance *O jogador*, evidentemente autobiográfico, escrito perto do fim do caso com Súslova, disse:

> Houve momentos (sempre que terminávamos uma conversa, para dizer a verdade) em que eu daria metade dos anos que me restam para estrangulá-la. Juro que, se tivesse a oportunidade de enfiar uma faca afiada lentamente em seu peito, teria feito isso com deleite.

Depois da ruptura com Súslova, Dostoiévski passou mais tempo cuidando da esposa doente. Enquanto escrevia *Notas do subterrâneo*, ouvia sua tosse seca no quarto ao lado. "Todo dia, há um momento em que aguardamos sua morte", escreveu. Ela faleceu em 15 de abril de 1864, e sua anotação no diário, no dia seguinte, é dolorosa pela brevidade: "16 de abril. Masha [Maria] está deitada sobre a mesa. Será que voltarei a vê-la?"

A morte da esposa deu início a um momento obscuro na vida de Dostoiévski. Seu irmão morreu logo depois. O vício no jogo piorou, e as dívidas cresceram significativamente. Uma proposta pouco entusiasmada de reconciliação com a ex-amante Súslova foi rejeitada. A redenção lhe chegaria na forma de uma estenógrafa de vinte anos, Anna Grigórievna Snítkina.

Em outubro de 1866, Dostoiévski contratou Snítkina para transcrever seu trabalho. Não foi amor à primeira vista: "Nada pode expressar a aparência lamentável de Fiódor [...] quando o vi pela primeira vez. Ele parecia confuso, ansioso, desamparado, solitário, irritável e quase doente", escreveu ela sobre o escritor de quarenta e seis anos.

Enquanto ditava seus escritos para ela, uma atração foi crescendo no coração dos dois. Após trabalharem juntos por menos de um mês, ele lhe contou sua ideia para um novo romance, sobre um artista idoso que se apaixona por uma jovem chamada... Anna. Seria possível que tal relacionamento funcionasse?, indagou. Seria, respondeu ela, porque o verdadeiro amor não está confinado às aparências. Tornando-se mais confiante de que seu estratagema funcionaria, aventurou-se ainda mais. "Coloque-se no lugar dela", sugeriu. "Imagine que este artista, que sou eu, lhe confessasse seu amor e pedisse que fosse sua esposa. O que você diria?"

Ela não hesitou na resposta: "Responderia que o amo e o amarei por toda minha vida". Casaram-se três meses depois.

Os primeiros anos do casamento foram assolados pelos problemas de Dostoiévski com o jogo. Ele "recompensou" a tolerância da nova esposa em relação a esse comportamento penhorando as joias e o anel de casamento dela. (Anna acabou recuperando o anel.) Depois que os filhos nasceram, Dostoiévski diminuiu as apostas. E, apesar de continuarem com dificuldades financeiras, ele e Anna desfrutaram uma vida familiar tranquila até a morte dele, em 1881.

NAS PALAVRAS DELE

Viva e deixe morrer

Não havia por que guardar rancor de um relacionamento fracassado, refletia Dostoiévski. As marés do romance sempre mudam, e isso não o preocupava: "Devemos ser eternamente gratos à mulher que amamos por todo dia e hora de prazer que ela nos deu. Não podemos exigir que pense em nós por toda a vida dela".

Liev Tolstói
(1828-1910)

"O amor não existe. O que existe é a necessidade física de relação sexual e a necessidade racional de uma companhia ao longo da vida."

A primeira experiência sexual do autor russo Liev Tolstói foi com uma prostituta, quando tinha apenas catorze anos. Seu irmão o levou a um bordel para transformá-lo em homem. Depois de fazer sexo com a prostituta, Tolstói começou a chorar – uma introdução desfavorável à sexualidade, que estabeleceria o tom pelo resto de sua vida.

Seu primeiro relacionamento adulto foi com uma serva de vinte e três anos, Aksinya Alexandrovna Bazykina. Tolstói, que tinha vinte e poucos na época, escreveu que "estava apaixonado, pela primeira vez". Apegou-se muito a Aksinya, mas o casamento entre senhor e serva não era uma opção legítima na sociedade russa (sem mencionar o detalhe de que ela era casada). Tiveram um filho, Timofei, que ele jamais reconheceu publicamente.

Mesmo assim, Tolstói ansiava por ter a própria família. "Devo me casar este ano – ou nunca mais", foi a resolução de ano-novo dele em 1859. O ano passou sem que sinos de casamento soassem. Então, em 1862, aos trinta e quatro anos, um trio de irmãs o deixou interessado. Sua primeira escolha para esposa foi a irmã mais jovem, Tatyana. A mãe delas não entregaria a jovem de dezesseis anos a Tolstói – ela queria que Liza, a mais velha, se casasse primeiro. Mas ele não ficou muito impressionado com Liza. "Que mulher tremendamente infeliz seria, se fosse minha esposa", escreveu.

Tolstói se lançou a um novo compromisso: pediu em casamento a irmã do meio, Sophia Andréievna Behrs. Ela era "comum e vulgar" a seus olhos, mas, ainda assim, atraente. Contou a Sophia que sua juventude e vivacidade o deixavam muito consciente da idade dele e de sua "incapacidade de ser feliz". Apesar de ser uma cantada terrível, o interesse por ela foi suficiente para agitar o coração de Sophia. "Eles nem se conheciam bem para saber se *gostavam* um do outro. Provavelmente, nunca souberam", escreveu o biógrafo A. N. Wilson. "Ele a achava estranha e fascinante. Ela o achava monstruoso e assustador."

No dia do casamento, Tolstói mostrou seus diários à noiva, revelando seu universo de prostitutas, promiscuidade, gonorreia e pensamentos homoeróticos em detalhes. "Acho que jamais vou me recuperar do choque de ler os diários quando era sua noiva", escreveu Sophia anos depois. "Ainda posso me lembrar das pontadas agonizantes de ciúmes". Sophia chorou o resto do dia, inclusive durante a cerimônia de casamento. Depois de tudo isso, ao abraçar a mãe, Tolstói a confrontou: "Se deixar sua família significa tanta tristeza, você não me ama o suficiente".

Apesar de acreditar que a castidade era o estado ideal do homem, sexo no casamento para o explícito propósito de procriação vinha em segundo lugar (quer dizer, nada de controle de natalidade para os Tolstói). Célebre pelos enormes romances, como o tijolo de quatro volumes de 1.225 páginas que foi *Guerra e paz*, Tolstói também construiu uma família igualmente impressionante: o casal teria um total de treze filhos, dos quais apenas oito sobreviveriam. Felizmente, seus livros vendiam bem, permitindo que toda a família vivesse confortavelmente numa grande propriedade.

O casal teria várias brigas ao longo dos anos, a maioria relatada com horríveis detalhes nos diários de Sophia e nos romances ligeiramente autobiográficos de Tolstói. Os problemas do casal pioraram, no entanto, quando, no fim da vida, ele se tornou um religioso fanático e renunciou à existência terrena. Mudou-se para uma cabana na propriedade da família, enquanto a esposa e os filhos continuaram a viver na mansão deles. Quando tentou renunciar aos direitos autorais de todas as obras, Sophia enlouqueceu de fúria – precisava do dinheiro para sustentar a família. A esposa não lidou bem com a indiferença do marido: "Quero me matar, me apaixonar por alguém – qualquer coisa para não viver com o homem a quem amei toda a minha vida", escreveu. Suas várias tentativas de suicídio e ameaças incluíram envenenamento (ópio, amônia), deitar na linha do trem, jogar-se num poço e tentar congelar até a morte numa cama de neve durante o inverno. Jamais conseguiu seu intento. E Tolstói não se sensibilizou nem um pouco com as ações da esposa. "Se alguém quer se afogar, não é ela, sou eu. Deixe que saiba que só desejo uma coisa – libertar-me dela", escreveu numa carta a um dos filhos.

Certa noite, Tolstói abandonou sua cabana de vez. Num bilhete dirigido à esposa de quarenta e oito anos, escreveu:

> Faço o que pessoas da minha idade fazem com frequência, [...] desistindo do mundo para passar meus últimos dias sozinho e em silêncio. [...] Não ache que estou abandonando meu lar porque não a amo. Amo, e sinto pena de você com todo o meu coração, mas não posso fazer outra coisa a não ser o que estou fazendo.

Tolstói, já doente, morreu numa estação de trem, dez dias depois de sair de casa. Longe de ficar "sozinho e em silêncio", foi cercado por centenas de espectadores, jornalistas, uma equipe de filmagem e a esposa. "Perdoe-me, perdoe-me!", falou ela, ao lado do banco onde ele faleceu. "Nunca amei outra pessoa a não ser você."

NAS PALAVRAS DELE

Acabou a lua de mel

A esposa de Tolstói, Sophia, transcreveu seu romance A sonata a Kreutzer *à mão. A tarefa foi realmente desconfortável em razão da maneira como os detalhes refletiam seu casamento com ele:*

> *A hostilidade fria era nosso estado normal. [...] Tínhamos brigas por causa do café, da toalha de mesa, da carruagem, dos jogos de cartas – besteiras, resumindo, que não poderiam ter a menor importância para nenhum de nós. [...]*
>
> *Todos os maridos que vivem uma vida conjugal como a minha devem recorrer à devassidão fora do casamento, ou se separar, ou se matar, ou matar a esposa. [...]*

Friedrich Nietzsche

(1844-1900)

"Ah, mulheres. Tornam os pontos altos, mais altos, e os baixos, mais frequentes."

O filósofo alemão Friedrich Nietzsche foi um solteirão por toda a vida, mas suas reclamações misóginas não dissuadiram as mulheres de se aproximar dele. "Uma vez que sua filosofia tinha a reputação de ser blasfema e indecente, ele era um herói nas salas de amamentação e em várias praças nos balneários", escreveu o jornalista H. L. Mencken. Nietzsche não conseguiu aproveitar essas oportunidades para o romance, preferindo, no entanto, dirigir sua afeição a mulheres que não estavam interessadas nele.

Apaixonou-se pela primeira vez aos trinta e dois anos por Mat Hilde Trampedach. Depois do segundo encontro, Nietzsche lhe enviou um pedido de casamento pelo correio. "Quer ser minha esposa? Eu a amo e sinto como se já me pertencesse. [...] Você não acredita, como eu, que, numa união, cada pessoa se torna mais livre e melhor do que quando está só? Então..."

Trampedach, apaixonada por outro homem, recusou o pedido. A libido de Nietzsche se escondeu pelos cinco anos seguintes.

Em 1882, Nietzsche conheceu a russa Lou von Salomé, de vinte e um anos, em Zurique. Escreveu que "ela é simples [...] mas, como todas as garotas simples, cultivou sua mente para ser atraente". Enquanto Nietzsche, o filósofo, a cativava, Nietzsche, o amante, era pouco persuasivo – Salomé recusou diversos pedidos de casamento dele. A irmã de Nietzsche, Elisabeth, escreveu uma carta enfurecida a Salomé defendendo o orgulho ferido do irmão. Ela respondeu: "Não pense que se trata de um estratagema contra seu irmão ou que esteja apaixonada por ele; poderia dormir no mesmo quarto que ele e não sentir nenhuma excitação".

Quando Salomé ficou noiva de outro homem, vários anos depois, Nietzsche contou a um amigo que ele lhe desejava "muita felicidade e prosperidade", apesar de se recusar a lhe escrever uma carta: "Devemos sair do caminho do tipo de criatura que não entende reverência e respeito". O amigo em comum, Paul Rée, ficou espantado com toda a situação, afirmando que não via como Salomé pudesse beijar Nietzsche com aquele bigode no caminho.

Nietzsche afirmou, depois, em um gracejo, que nunca tinha tocado em uma mulher. Na verdade, havia tido relações em várias ocasiões "sob ordens médicas". Infelizmente, uma relação estável com uma mulher não se concretizaria. "Se me casasse", escreveu Nietzsche, "seria provavelmente uma completa estupidez".

Em seus últimos anos, Nietzsche foi tomado pela loucura como resultado de uma infecção sifilítica, provavelmente procedente dos encontros "prescritos pelo médico". Nietzsche fora tratado contra sífilis quando tinha vinte e poucos anos, e sofrera de problemas de saúde crônicos: vista ruim, dores de cabeça, vômitos e fadiga. Nos anos seguintes, os sintomas se configuraram prova de uma infecção.*

Em 3 de janeiro de 1889, Nietzsche experimentou um forte surto psicótico nas ruas de Turim. Depois de presenciar um cavalo sendo chicoteado, enrodilhou o animal com os braços e caiu a seus pés. Dois policiais chegaram ao local e encontraram Nietzsche babando e murmurando palavras incoerentes. Nunca mais voltou a recuperar a sanidade durante os últimos onze anos de sua existência.

NAS PALAVRAS DELE

A grande repressão

Nietzsche criticou com veemência a repressão a todas as coisas de cunho sexual na era vitoriana. "A igreja luta contra a paixão ceifando-a em todos os sentidos; sua prática, sua terapia, é a castração", escreveu. "Foi o cristianismo, com base em seu ressentimento contra a vida, que primeiro transformou a sexualidade em algo impuro". Sentimentos irônicos para um homem cuja saúde sofria abalos contínuos em decorrência dos efeitos permanentes de uma doença sexualmente transmissível.

* O amigo de Nietzsche, Richard Wagner, sugeriu que os problemas de saúde dele eram causados pela masturbação excessiva. "Wagner está com a cabeça repleta de ideias maliciosas", disse Nietzsche, quando sua condição melhorou temporariamente. "Tomei o assunto nas mãos; voltei a ficar saudável." Não fica claro se o duplo sentido foi intencional.

John Dewey

(1859-1952)

"O jardim do amor é um lugar repleto de pedras,
com ervas daninhas."

Quando o teórico norte-americano da educação, John Dewey, era universitário na Johns Hopkins University, era tão tímido que o presidente da universidade, Daniel Coit Gilman, chegou a aconselhá-lo a não ser tão estudioso. "Não viva uma vida tão reclusa; saia e veja pessoas", falou Gilman a Dewey.

Mas Dewey só precisava achar a garota certa. Logo após se encontrar com Alice Chipman numa classe universitária, começou a falar sobre casamento. "Havia uma imensa admiração moral e intelectual entre eles", escreveu o estudante de Dewey, Max Eastman. "Não poderia haver duas pessoas mais apaixonadas", falou Dewey a Eastman.

Em julho de 1886, depois que Alice se formou na faculdade e Dewey foi promovido a professor-assistente, eles se casaram.

A "admiração moral e intelectual" não foi suficiente para manter Dewey inteiramente fiel nas quatro décadas seguintes do casamento. Anzia Yezierska, escritora americana de origem polonesa, que tinha vinte anos a menos que ele, assistiu às aulas na Columbia College. O bom professor teve um breve, embora profundo, caso com ela em 1918. "Fisicamente, o relacionamento parece não ter avançado além de leves carícias", escreveu o biógrafo Robert B. Westbrook.

A esposa de Dewey, Alice, faleceu em 1927. Quase duas décadas depois, aos oitenta e sete anos, Dewey se casou com Roberta Grant, uma viúva de quarenta e dois anos. Não anunciaram o casamento porque Dewey temia que ela pudesse ser criticada em virtude da diferença de idade. Mesmo assim, o segundo casamento de Dewey causou problemas entre ele e seus filhos. Evelyn, filha do primeiro casamento dele, avisou aos amigos do pai que Roberta criara "fantasias malignas" na mente dele. Roberta era "paranoica" e "mentirosa", de acordo com o biógrafo Sidney Hook. Afastado da família e dos amigos, Dewey faleceu tranquilamente, aos noventa e dois anos.

NAS PALAVRAS DELE

Cartas de amor não tão boas de grandes homens

Apesar da considerável proeza verbal em outras áreas, as cartas de amor de Dewey para Alice "são tão extraordinariamente pouco sofisticadas, que o leitor só pode supor que ao escritor delas [...] falta prática em abrir o coração a alguém", escreveu o biógrafo Alan Ryan. Estaria ele sendo muito duro com o homem? Leia os seguintes trechos das cartas de Dewey e tire suas próprias conclusões:

> *Querida, quando você volta para me abençoar com o prazer adorado além do prazer do seu amor? Amada de minha alma, eu mesmo, meu verdadeiro eu, minha inspiradora da vida e do desejo, minha plenitude de vida e satisfação do querer, minha fonte de tudo que posso ser, e doadora de tudo que sou - já falei que a amo? [...] Oh, minha querida amante, é o pensamento de que posso dar-lhe amor que me anima a seguir com o prazer da vida [...].*
>
> *Meu amor, seu amor me preenche todo. Querida, aqui estou eu, além de tudo a meu respeito. Sou isso e estou nisso, meu amor, e é a coisa mais doce do mundo. Querida, como posso deixar de amá-la com minha vida, com meu ser, com tudo de mim, que não é mais meu, mas pertence a você, minha doce querida?*

Bertrand Russell
(1872-1970)

"O casamento é para a maioria das mulheres o mais comum modo de vida, e a quantidade de sexo não desejado que elas aguentam é provavelmente maior no casamento do que na prostituição."

Bertrand Russell foi um inglês de muitos talentos, que trabalhava alternadamente como filósofo, lógico, matemático, reformista social e historiador. Sua *História da filosofia ocidental* forneceu uma base para todas as futuras pesquisas filosóficas (incluindo este livro). Russell ganhou o Prêmio Nobel de Literatura em 1950, "em reconhecimento por seus escritos variados e significativos, nos quais defende ideais humanitários e a liberdade de pensamento". E, se tal prêmio existisse, ele teria sido condecorado com a medalha de Maior Número de Casamentos Contraídos por um Filósofo Renomado.

Russell acreditava que casamentos malsucedidos eram especialmente destrutivos no caso de pessoas criativas (como ele próprio): "Quando [um artista] é levado pelo medo e pela perseguição econômica e social a viver num casamento que se tornou intolerável, fica desprovido da energia que a criação artística exige". Argumentava com paixão em prol do direito ao divórcio, comparando um mau casamento a uma prisão. Por toda a vida, Russell fugiu de três prisões matrimoniais.

Com vinte e dois anos, casou-se com Alys Pearsall Smith (esposa nº 1). A união deles durou vinte e sete anos. Em seguida, casou-se com Dora Winifred Black (esposa nº 2), em 1921. Foi uma relação aberta: os dois parceiros eram livres para manter relações sexuais extraconjugais. Quando Dora ficou grávida de outro homem, em 1935, Russell considerou que o pacto deles havia sido rompido e se divorciou dela. Um ano depois, casou-se com Patricia "Peter" Spence (esposa nº 3)... e se divorciou dela em 1952.

Russell também manteve relacionamentos adúlteros com pelo menos duas mulheres casadas. Ele acreditava que, desde que a relação fosse "profundamente importante" e não houvesse crianças no meio, o adultério não deveria sofrer condenação criminal, civil ou pública. Russell não se arrependeu do tempo passado na companhia de várias mulheres. Como escreveu em sua *Autobiografia*:

> Acho que os homens precisam das mulheres e as mulheres precisam dos homens, tanto mental quanto fisicamente. De minha parte, devo muito às mulheres que amei, e, sem elas, minha mente teria sido muito mais estreita.

Russell viveu para três coisas: "o anseio por amor, a busca por conhecimento e uma intolerável piedade pelo sofrimento humano". Depois de toda uma vida de buscas, pelo menos, encontrou o amor duradouro: quando tinha oitenta anos, estabeleceu-se de vez com Edith Finch (esposa nº 4). Apesar de ter trinta anos a menos, eles se conheciam há mais de vinte e cinco anos. "Apesar de poder parecer bom demais para a vida humana, foi isso que – finalmente – encontrei." Viveu com Finch até morrer, com a idade de noventa e oito anos.

NAS PALAVRAS DELE

Ah, a juventude!

O casamento e a moral, *publicado em 1929, resumiu os primeiros pensamentos de Russell sobre o tema "casamento". Ele previu um futuro em que os pais fossem menos importantes como chefes de família. Com os pais fora do caminho e as mães solteiras tomando conta da Terra, Russell acreditava que os governos tomariam conta da educação e do bem-estar dos cidadãos, abrindo caminho, dessa maneira, ao completo colapso da civilização ocidental.*

Três divórcios e aproximadamente cinquenta anos depois, ele admitiu o erro de seu julgamento:

> *Não sei o que penso agora sobre o casamento. [...] Talvez o divórcio cause menos infelicidade que qualquer outro arranjo, mas não sou mais capaz de ser dogmático quando se trata de casamento.*

Martin Heidegger
(1889-1976)

"Por que o amor é mais rico que qualquer outra experiência humana possível, e um doce fardo a quem é capturado em suas garras?"

O trabalho do professor alemão Martin Heidegger não é recomendado ao iniciante em filosofia. Seus livros estão repletos de máximas como "o 'Ser' não é o mesmo que um ser. [...] O que determina os seres enquanto seres, e, nos termos do Ser, os seres já são compreendidos". Ainda bem que não é preciso um diploma para entender sua vida amorosa.

Heidegger se casou com Elfriede Petri em 1917. Ficaram juntos por quase sessenta anos, e nunca se separaram nem se divorciaram, apesar das atividades extraconjugais amplamente documentadas de Heidegger com suas estudantes.

Dos casos amorosos, a estudante Hannah Arendt foi a mais importante. "Cara srta. Arendt! Devo vê-la esta noite e falar a seu coração", escreveu para a aluna de dezoito anos. Quando ela foi até sua sala na Universidade de Marburgo aquela noite, os dois fizeram amor pela primeira vez. O fato de serem estudante e professor era uma mera inconveniência, uma "casualidade" que "apareceu". "Nunca serei capaz de chamá-la de minha, mas, de agora em diante, você vai ser parte da minha vida", escreveu Heidegger para a talentosa aluna. Pelos quatro anos seguintes, teriam um ardoroso relacionamento físico, encontrando-se no escritório dele e nos bosques perto do *campus* da universidade. Quando Heidegger se uniu ao Partido Nazista, em 1933, a judia Arendt fugiu para os Estados Unidos.

Depois da guerra, Arendt procurou retomar a amizade (mas não o caso) com Heidegger. Agora ela estava casada, mas ainda acreditava que ela, e não Elfriede, havia sido o amor da vida dele. Após se encontrarem, em 1950, ela o defendeu publicamente das críticas sobre o passado nazista. A professora Elzbieta Ettinger, autora de *Hannah Arendt/Martin Heidegger*, contou ao *New York Times* que "ninguém que saiba sobre amor e paixão vai considerar incomum o perdão de Arendt. [...] O amor é irracional. Não há nada que possamos fazer em relação a isso".

As atividades extraconjugais da esposa de Heidegger acabaram também sendo reveladas: o filho deles, Hermann, era na verdade fruto de um caso entre a sra. Heidegger e um amigo da família, um segredo só revelado com a publicação, em 2005, de *Letters to His Wife: 1915-1970*, coletânea da correspondência de Heidegger com a esposa.

NAS PALAVRAS DELE

O código Heidegger

Mesmo num tema como o amor, a escrita de Heidegger era mais obscura do que esclarecedora. Os criptógrafos amadores estão convidados a tentar decifrar suas palavras:

> *Nós nos transformamos no que amamos, e, ainda assim, permanecemos nós mesmos. Então gostaríamos de agradecer aos amados, mas não achamos nada que pudesse demonstrar esse sentimento adequadamente. Só podemos agradecer a nós mesmos. O amor transforma a gratidão em fidelidade a nós mesmos e em fé incondicional ao Outro. Assim, o amor, de forma gradual, expande seu mais íntimo segredo. Proximidade aqui é existência na maior distância do outro - a distância que permite que nada se dissolva -, mas, em vez disso, apresenta o "você" na transparente, embora "incompreensível", revelação do "apenas ali". O fato de que a presença do outro irrompe dentro de nossa própria vida - eis algo que nenhum sentimento pode abranger totalmente.*

Jean-Paul Sartre
(1905-1980)

"Existem, claro, mulheres feias,
mas prefiro as bonitas."

O existencialista francês Jean-Paul Sartre foi um candidato improvável a "*Don Juan* literário" (como gostava de se nomear). A primeira garota pela qual se apaixonou na escola rejeitou-o, chamando-o de "velho tolo e vesgo". Foi uma nefasta introdução ao sexo oposto. As perspectivas não melhoraram quando ficou adulto: ele media apenas 1,54 metro, vestia-se com roupas de tamanho maior e não tinha um bom conceito de higiene pessoal.

Sartre, milagrosamente, superava essas deficiências apenas ignorando-as e projetando uma aura de confiança. Ele admitiu isso quando era jovem: "[Eu] era muito melancólico porque era feio, e isso me fazia sofrer. Livrei-me por completo disso, porque é uma fraqueza". Ele só precisava de uma coisa para seduzir as mulheres: *les mots* ("as palavras").

Perdeu a virgindade aos dezoito anos com uma mulher casada e mais velha. "Fiz sem grande entusiasmo", confessou, "porque ela não era muito bonita". Tudo bem que ele fosse feio, mas Sartre só desejava dormir com lindas mulheres. De maneira semelhante, não sentia respeito por prostitutas porque "uma garota não deveria se entregar assim"... embora visitasse regularmente bordéis com os amigos universitários.

Quando Sartre tinha vinte e um anos, apaixonou-se por Germaine Marron e a pediu em casamento. Os pais dela consentiram a princípio, mas cancelaram o casamento diante do fracasso de Sartre no exame para professor, no verão de 1928. "Fiquei aliviado", escreveu. "Não tenho certeza de ter agido corretamente em toda essa questão."

Na verdade, não havia agido "corretamente" durante o noivado: tivera um caso com Simone Jollivet, dramaturga e atriz que vivia na cidade de Toulouse. Quando Sartre presenteou Jollivet com um frasco de perfume, ficou zangado quando a viu colocá-lo na mesa de cabeceira, ao lado de quatro outros frascos de quatro outros amantes. "O quê? Você é meu dono?", perguntou ela, enfurecida. "Devo me sentar aqui e esperar por suas *ocasionais* aparições [em Toulouse]?" Depois de refletir um pouco, Sartre concordou com ela. "Ela tinha razão, claro, e eu sabia. Concluí que o ciúme é possessão. *Portanto*, decidi nunca mais senti-lo."

Em 1929, enquanto estudava para a segunda tentativa de conseguir o certificado para dar aulas, Sartre conheceu uma colega estudante de filosofia que compartilhava seus valores: Simone de Beauvoir. A longa e sinuosa estrada desde o encontro até o enterro numa sepultura conjunta parisiense será contada adiante neste livro (p. 164), mas é suficiente dizer aqui que a natureza aberta do relacionamento deles permitiu a Sartre ter liberdade para dormir com outras mulheres quando quisesse. Sua crescente fama literária – como dramaturgo, romancista, roteirista e crítico – garantiu um fluxo constante de jovens ávidas por sua amizade.

A vida amorosa de Sartre não foi isenta de drama. Em geral, ele se encontrava com diversas mulheres ao mesmo tempo, encontrando espaço para todas elas numa agenda sempre repleta de compromissos. (É incrível que ele tenha encontrado tempo para escrever!) É desnecessário entrar em detalhes sobre seus vários casos, mas eis aqui um trecho da biografia *Tête-à-tête*, de Sartre-Beauvoir, escrita por Hazel Rowley:

> Todas as suas mulheres viviam a menos de dez minutos dele; raramente se viam, e nenhuma delas sabia a verdade sobre sua vida. Arlette não tinha ideia de que, depois de passar três semanas de férias, todos os anos, com *ela*, Sartre viajava com Wanda por duas ou três semanas. Wanda não sabia que Sartre ainda via Michelle. Quando ele dormia na casa de Beauvoir, dizia a Wanda que ia dormir em casa. Suas cartas para ela eram repletas de incríveis invenções. Ele tinha se atrasado na volta para Paris, contou a ela certa vez. Havia sido trancafiado num castelo na Áustria.

Ele continuou a viver seu sonho promíscuo até o fim da vida. Em 1979, com setenta e quatro anos, um Sartre banguela e cego comentou com uma das namoradas que, sem contar Beauvoir e a namorada Sylvie Le Bon, "há nove mulheres na minha vida no momento!". Um fim nada mau para um "velho tolo e vesgo".

NAS PALAVRAS DELE

Os chatos de Sartre

Quando tinha trinta e dois anos, Jean-Paul Sartre sofreu com uma praga de chatos. Como contou a John Gerassi em 1971:

> *Depois que tomei mescalina, comecei a ver chatos ao meu redor o tempo todo. [Três ou quatro deles] me seguiam pelas ruas, até a sala de aula. Acostumei-me com eles. Acordava de manhã e dizia: "Bom-dia, meus pequenos, como passaram a noite?" Falava com eles o tempo todo. Dizia: "Certo, rapazes, vamos entrar na aula agora, então precisamos ficar quietos", e eles ficavam ali, ao redor da minha mesa, absolutamente quietos, até o sino tocar. [...] Os chatos ficaram comigo até o dia em que simplesmente me cansei e decidi que não iria mais prestar atenção neles.*

Ayn Rand
(1905-1982)

"Para falar 'eu amo você', primeiro, é preciso saber como dizer 'eu'."

A russo-americana Ayn Rand, mais conhecida pelos romances filosóficos *A revolta de Atlas* e *A nascente*, acreditava que, para amar outra pessoa é preciso primeiro amar a si mesmo. Com base nos sórdidos detalhes de sua vida romântica, Rand certamente se amava muito.

Em 1955, depois de se estabelecer como escritora bem-sucedida, aos cinquenta anos (e casada), Rand começou um romance com Nathaniel Branden, de vinte e cinco anos. Após Branden escrever uma carta dizendo que era seu fã, em 1950, Rand e o marido, Frank O'Connor, encontraram-se com Branden e sua noiva, Barbara. Os quatro logo se tornaram amigos, com muita proximidade intelectual; quando Nathaniel e Barbara se casaram, Rand e O'Connor foram os padrinhos.

Apesar da diferença de vinte e cinco anos que a separava de Branden, Rand reconheceu nele uma alma gêmea filosófica. A crença dos dois na liberdade pessoal, no capitalismo *laissez-faire* e no racionalismo fez com que fundassem a escola de pensamento "objetivista". Essa escola rejeitava a espiritualidade e o altruísmo, enaltecendo a razão e o interesse em si próprio como os valores mais importantes. Enquanto Rand tratava Branden como o "herdeiro intelectual" de seu trabalho, sem querer, se apaixonaram.

Mas não foi um caso clandestino comum: depois de declararem mutuamente o que sentiam, Rand e Branden apresentaram a ideia de iniciarem um caso à esposa de Branden, Barbara. Apesar de Branden insistir que seus sentimentos por Rand não haviam mudado de nenhuma forma o que sentia pela esposa, o "estado visivelmente atordoado" de Barbara deixou claro que as coisas *não* estavam *nada* bem.* Quando o marido de Rand, Frank, ficou sabendo, ela tentou justificar a proposta deles com

> a persistência de uma furadeira contra o granito. Depois que Barbara e Frank se rebelaram com um protesto violento, Ayn se tornou ainda mais ardente, mais gentil e mais implacável. Ela reconheceu os sentimentos do marido e de Barbara, expressou compaixão pela dor deles, e tentou fazer com que aceitassem a situação com a resolução de um comandante militar.

A parte mais estranha da conversa foi que, à época, o que ambos propunham era apenas um envolvimento emocional. "Não que estivéssemos propondo um relacionamento sexual", observou Rand. Eles só queriam se encontrar algu-

* Uma nota aos futuros adúlteros: apesar de parecer um gesto cortês procurar obter a permissão da esposa para trair, não deixa de ser um desrespeito. O próprio Branden reconheceu isso depois. "A minha crueldade e a de Ayn não esteve em nos apaixonarmos, ou nem mesmo, a princípio, em iniciar um caso. A crueldade esteve em como lidamos com a questão: nossa falta de genuína compaixão pela situação de Frank e Barbara", concluiu.

mas vezes por semana, em particular, para "conversar". Os respectivos cônjuges, embora com relutância, concordaram com a proposta.

Não foi surpresa para ninguém quando Rand e Branden passaram a dormir juntos cinco meses depois.

"Ela fazia amor com a mesma concentração invejável com que fazia todo o resto", escreveu Branden. A intensidade sexual do relacionamento deles distraiu Rand do livro que escrevia, *A revolta de Atlas*. "Você foi enviado pelo inimigo para evitar que eu termine este livro?", perguntou a Branden. Rand acabou finalizando sua obra-prima em 1957, dedicando-a tanto ao marido quanto ao jovem amante.

Branden e a esposa se separaram em 1965, mas, nesse ponto, a trama se enrola: ele estava saindo às escondidas com uma modelo jovem e linda, Patrecia Scott. Rand não sabia do caso com Scott, mas sentia que Branden se afastava dela emocionalmente: "O homem a quem dediquei *A revolta de Atlas* jamais iria desejar outra pessoa além de mim! Não importa se tivesse noventa anos e estivesse em uma cadeira de rodas!", repreendeu ela.

Quando Branden revelou o relacionamento com Patrecia, Rand enlouqueceu. Considerando-o incapaz de continuar seu papel como herdeiro intelectual dela, expulsou-o publicamente do movimento objetivista que haviam construído juntos. "Você não teria sido nada sem mim", gritou num acesso de raiva, "e não será nada quando nosso relacionamento estiver acabado!". Ela retirou o nome dele da dedicatória nas impressões subsequentes de *A revolta de Atlas* e tentou impedir a publicação do livro de Branden, *The Psychology of Self-Help*.**

** Apesar da tentativa de interferência de Rand, *The Psychology of Self-Help* foi bem-sucedido e vendeu mais de um milhão de cópias em todo o mundo. Branden mais tarde escreveria *The Psychology of Romantic Love* e *The Romantic Love Question & Answer Book*.

O marido de Rand ficou estoicamente ao lado dela, durante a ruptura com Branden, e, apesar dos altos e baixos, o casamento deles durou mais de cinquenta anos, até a morte de Frank, em 1979.

NAS PALAVRAS DELA

Ame como digo, não como faço

Rand tratou com cuidado da questão da infidelidade numa entrevista concedida a Alvin Toffler, na Playboy, *em 1964. "Considero a promiscuidade imoral. Não porque o sexo seja algo ruim, mas porque o sexo é muito bom e muito importante." Quando questionada sobre se apenas pessoas casadas deveriam ter relações sexuais, respondeu:*

> *Não necessariamente. O que o sexo deveria envolver é um relacionamento sério. [...] Considero o casamento uma instituição muito importante [...], [mas] tanto [o sexo entre casados quanto entre não casados] é moral, desde que os dois lados levem o relacionamento a sério e que seja baseado em valores.*

Simone de Beauvoir

(1908-1986)

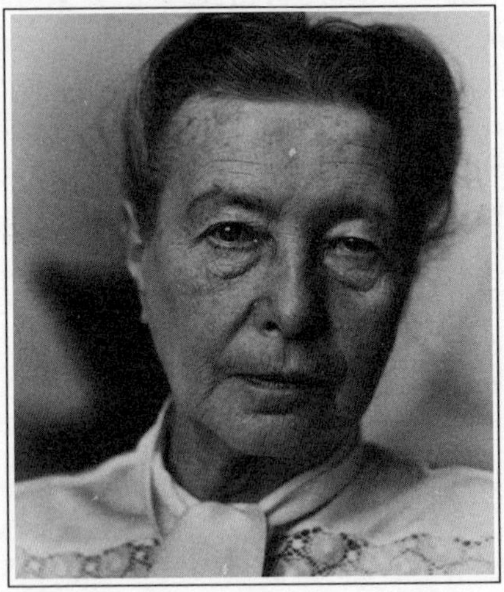

"Conseguir um marido é uma arte; mantê-lo é um trabalho árduo."

Mesmo durante a adolescência, a filósofa francesa Simone de Beauvoir sabia que era diferente das outras mulheres. "Não consigo me livrar dessa ideia de que estou sozinha, num mundo à parte, sendo apresentada aos outros como se estivesse em um espetáculo", escreveu.

Quando chegou à escola secundária para estudar filosofia, sua natureza complexa encontrava-se ainda mais pronunciada: Beauvoir fumava e bebia como um homem. Atraiu a atenção de um colega, René Maheu, e escreveu em seu diário que o bonito e inteligente Maheu era sua "maior felicidade". Maheu a apelidou de *le castor*, "o castor", em português. Ele era perfeito para ela em todos os sentidos, exceto um: era casado.

Enquanto isso, ela estudava para o exame de professora com o amigo de Maheu, Jean-Paul Sartre (p. 152). Sartre era um patinho feio, mas muito bom para uma conversa, se comparado ao bonito, mas tolo, Maheu. Beauvoir e Sartre estudaram e conversaram dia e noite durante semanas. Ela terminou em segundo lugar no exame; ele, em primeiro (apesar de aquela ter sido sua segunda tentativa, após fracassar no ano anterior). Quanto mais tempo Beauvoir passava com Sartre, menos pensava em Maheu. Para espanto dela, acabou se apaixonando pelo homem de aparência estranha. Era o começo de uma relação pouco convencional que duraria cinquenta e um anos, dominaria a vida de Beauvoir e ameaçaria eclipsar seu trabalho.

Apesar de, em geral, se referirem um ao outro como marido e mulher em cartas, Beauvoir e Sartre nunca se casaram – "casamento" era um palavrão para o livre-pensador Sartre. Beauvoir ficou confusa no começo; sempre havia se imaginado como esposa e mãe. Em vez disso, Sartre propôs um arranjo aberto, no qual o relacionamento entre eles seria "essencial" e os demais, secundários. Beauvoir e Sartre viveram juntos só esporadicamente, tendo muito tempo, portanto, para atividades extracurriculares, tanto sexuais quanto intelectuais.

Nos anos 1950, Beauvoir escreveu o polêmico e influente livro feminista *O segundo sexo*. Sempre foi romancista e memorialista talentosa, estabelecendo-se como uma filósofa independente de Sartre. Encorajada por este, contavam seus casos amorosos um para o outro. Duas coletâneas de cartas, publicadas após a morte de ambos, revelaram a promiscuidade do casal: Beauvoir narrava suas relações amorosas com mulheres em tentadores detalhes, enquanto Sartre lhe descrevia, com precisão clínica, como havia desvirginado jovens. Ocasionalmente, perseguiam as mesmas mulheres – com frequência, com perturbadora cumplicidade, comparando notas, sem que as conquistas soubessem.

A relação mais passional de Beauvoir não foi com Sartre, mas com o escritor norte-americano Nelson Algren. Conheceram-se em fevereiro de 1947, quando Beauvoir visitava Chicago. Algren lhe deu um anel e pediu que ela se mudasse para os Estados Unidos com ele. "Estou pronto para me casar com você neste exato momento", disse-lhe.

Beauvoir, apesar de estar profundamente apaixonada por ele, ainda se encontrava sob o domínio de Sartre. "Ninguém poderia amar, querer e sentir mais saudades de você do que eu", escreveu para Algren da França. "[Mas] por quase vinte anos, [Sartre] fez tudo por mim; ele me ajudou a viver, a me encontrar, sacrificou muitas coisas pelo meu bem. [...] Não poderia deixá-lo [e] devotar toda minha vida a outra pessoa."

Algren aceitou com relutância a explicação e continuou a se encontrar com Beauvoir quando ambos tinham tempo e meios para as viagens, sem saber que ela continuava dormindo com Sartre (entre outros). O norte-americano ficou enfurecido quando leu um extrato das memórias de Beauvoir, *A força das coisas*, na qual ela chamava seu relacionamento com ele de "ligação sexual passageira". Escreveu uma resenha mordaz sobre o livro na *Harper's Magazine*. "[Cafetões] são mais honestos que filósofos", gracejou, colocando um ponto final no relacionamento deles. Mesmo assim, até sua morte, Beauvoir usou o anel que Algren havia lhe dado de presente.

Enquanto isso, Sartre adotou sua amante argelina, Arlette Elkaïm, em 1965. Nem ele nem Beauvoir tiveram filhos, e a adoção era uma necessidade legal para garantir a inalienabilidade de seu legado literário. Elkaïm foi nomeada executora da herança de Sartre depois de sua morte, em 1980. Para não ficar atrás, Beauvoir adotou uma de suas amantes, Sylvie Le Bon, depois que Sartre faleceu – e a nomeou executora de *sua* herança.

Apesar da natureza incomum do romance de ambos, Beauvoir e Sartre estarão para sempre unidos, inclusive por estarem enterrados juntos numa sepultura em Paris. "Uma coisa que não mudou e não pode mudar; é que, não importa o que acontecer e o que me tornar, farei isso a seu lado", Sartre escreveu para Beauvoir. "A camaradagem que uniu nossas vidas tornava uma imitação sem importância qualquer outra ligação que pudéssemos ter construído com outras pessoas", afirmou Beauvoir.

NAS PALAVRAS DELA

Diferentes, mas iguais

Sempre haverá certas diferenças entre homem e mulher; o erotismo e, portanto, o mundo sexual dela têm uma forma especial própria; assim, não pode deixar de gerar uma sensualidade, uma sensibilidade de natureza especial. Isso significa que suas relações com o próprio corpo, em relação ao do homem, ao da criança, nunca serão idênticas às que o homem tem com o próprio corpo, com o corpo da mulher e o da criança.

Albert Camus
(1913-1960)

"Abençoado sejam os corações flexíveis; eles nunca se partirão."

O franco-argelino Albert Camus é, em geral, associado à filosofia do absurdo: como a morte é inevitável, a vida não tem sentido. Essa simples compreensão, acreditava, podia levar uma pessoa a conseguir o máximo do aqui e agora, vivendo de forma plena. A humanidade deveria parar de tentar impor ordem e sentido a um universo irracional. Tal posição não combinava com romances; mesmo assim, Camus não estava imune. Como escreveu: "O amor é o tipo de doença que não poupa nem o inteligente nem o tolo".

Casou-se com a primeira esposa, Simone Hié, em 1934. Os dois eram jovens, e Camus não demorou a acreditar que a união havia sido um erro, em especial, porque Hié era viciada em morfina, e Camus era contrário ao uso de drogas. O casamento deles terminou quando ele descobriu que a esposa mantinha relações sexuais com um médico em troca da droga.

O divórcio provavelmente influenciou a visão pessimista de Camus sobre o amor romântico, que estas palavras, do livro de 1942, *O estrangeiro*, sugerem: “Atração, casamento e fidelidade tornam-se sinônimo de servidão”.

Três meses após o divórcio, Camus se casou com a matemática Francine Faure. Sua irmã achou que as orelhas de Camus eram protuberantes como as de um macaco; Faure estava apaixonada e não se abalou: “O macaco é o animal mais próximo ao homem”, respondeu.

Tanto Faure quanto seu “macaco” se desviaram dos objetivos iniciais. Cartas inéditas revelaram que ela tinha um caso clandestino com a atriz Maria Casares, enquanto Camus perseguiu incontáveis mulheres pelas costas da esposa. Em relação aos casos extraconjugais de Camus, o biógrafo Olivier Todd comentou: “Não escrevi um livro sobre a vida amorosa de Albert Camus. Nem uma lista telefônica teria sido grande o suficiente para isso!”

Camus permaneceu casado com a segunda esposa até morrer num acidente de carro em 1960, com quarenta e seis anos.

NAS PALAVRAS DELE

Não é você; sou eu

Camus mantinha as amantes a distância. "Toda minha vida, quando alguém se aproximou de mim, fiz de tudo para que se afastasse", escreveu numa carta. Em outra, reclamou que "não tinha o dom de amar". Um dos personagens de seu romance Calígula *mostrou uma opinião que poderia ser interpretada como sendo a do autor: "Amar alguém significa estar disposto a envelhecer com essa pessoa. Não sou capaz de tanto amor".*

Louis Althusser

(1918-1990)

"O problema é que há corpos e, pior ainda, órgãos sexuais."

Louis Althusser era virgem, aos trinta anos, quando conheceu Hélène Rytmann, de trinta e oito anos. A mulher mais experiente apresentou ao filósofo francês o admirável mundo novo do sexo, um mundo que Althusser poderia não estar pronto para enfrentar: depois de dormir com Hélène, pela primeira vez, ficou tão perturbado mentalmente que entrou em profunda depressão, necessitando de tratamento de choque e internação. Apesar do mau agouro, Althusser acabou aceitando o sexo como parte de sua vida, e se casou com Hélène.

Na verdade, é provável que Hélène tenha ensinado o jovem amante bem demais – não demorou para que Althusser começasse a traí-la com outras mulheres. O casamento deles foi pontuado por violentas brigas, e, com frequência, Hélène ameaçava se matar. O fato de não terem amigos íntimos só tornava ainda mais complexos os problemas conjugais. Nada disso ajudava, tampouco, o frágil estado mental de Althusser, que necessitava de internações frequentes e extenso tratamento psicanalítico.

O mais impressionante é que Althusser foi capaz de continuar dando aulas durante todo esse período. Ensinou por mais de trinta anos na École Normale Supérieure, em Paris, influenciando toda uma geração de pensadores franceses com sua filosofia marxista radical.

A vida de Althusser só começou a desmoronar sobre sua cabeça quando, nas primeiras horas de uma tranquila manhã de domingo, em 1980, ele "acidentalmente" matou a esposa. Como o filósofo escreveu com perturbadora clareza:

> Ajoelhado ao lado dela, inclinado sobre seu corpo, massageava seu pescoço. Era comum massagear em silêncio sua nuca e suas costas. [...]
>
> Mas, nessa ocasião, eu massageava a parte da frente do pescoço. [...]
>
> O rosto de Hélène estava calmo e imóvel; os olhos estavam abertos e fitava o teto.
>
> De repente, fui tomado pelo horror. Seus olhos estavam fixos, e percebi que a ponta de sua língua aparecia entre os dentes e os lábios, estranha e quieta.
>
> Já tinha visto cadáveres antes, claro, mas nunca na minha vida havia olhado para o rosto de alguém que fora estrangulado. Ainda assim, sabia que ela tinha sido estrangulada. Mas como? Eu me levantei e gritei:
>
> – Estrangulei Hélène!

Althusser afirmou sofrer de um agudo estado mental de confusão decorrente de anos sob influência de depressão maníaca. Não foi julgado por ter sido considerado mentalmente incapaz, e passou quase três anos em hospitais psiquiátricos, antes de ter alta em 1982. Passou a vida entrando e saindo de hospitais, até a morte, oito anos mais tarde, encontrando, de alguma maneira, tempo e saúde para completar sua autobiografia, *O futuro dura muito tempo*.

NAS PALAVRAS DELE

Surpresa!

"Acho que também aprendi o que é o amor... Ser atencioso com os outros, respeitando seus desejos e ritmo, jamais exigindo coisas, mas aprendendo a receber e a aceitar todo presente como uma surpresa, e sendo capaz, de modo despretensioso, de dar e surpreender a outra pessoa, sem a menor coerção", escreveu Althusser. Sua esposa ficou, sem dúvida, bastante surpresa ao se dar conta de que estava sendo estrangulada até a morte pelo próprio marido.

LINHA DO TEMPO

350 a.C

Diógenes, o Cínico, acreditando que o que é natural não pode estar errado, peida, urina, defeca e se masturba em público. Os homens se divertem; as mulheres ficam horrorizadas.

60 a.C.

Tito Lucrécio ingere uma poção do amor que o deixa louco.

41

Sêneca, o Jovem é banido de Roma por dormir com uma princesa romana casada.

385

Santo Agostinho de Hipona termina o noivado com uma garota de dez anos, depois que uma voz celestial o convence a levar uma vida de celibato.

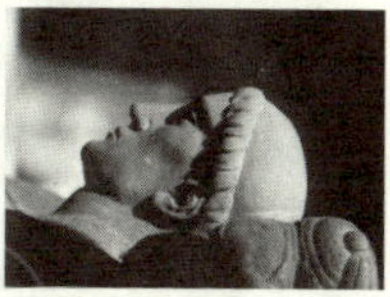

1118

Pedro Abelardo abandona a esposa Heloísa num convento, assim, pode passar mais tempo estudando. O tio dela, superprotetor, manda castrá-lo.

1250

A família de São Tomás de Aquino contrata uma prostituta para seduzi-lo. Aquino a afasta com um tição quente.

1540

O noivado de João Calvino com uma jovem alemã é cancelado porque a noiva não consegue aprender francês.

1634

René Descartes faz sexo com a empregada, gerando um filho ilegítimo. É a primeira e última vez que ele faz sexo.

1766

Nicolas Chamfort contrai uma doença venérea que destrói sua beleza e lhe desfigura os genitais, sem chance de reparação.

1768

Jean-Jacques Rousseau abandona pessoalmente os cinco filhos recém-nascidos num abrigo para crianças rejeitadas.

1774

Johann Wolfgang von Goethe publica *Os sofrimentos do jovem Werther*, um trágico romance que faz com que dezenas de jovens europeus de coração partido cometam suicídio.

1784

A esposa de Denis Diderot queima as cartas de amor que o marido escreveu e recebeu da amante, Sophie Volland.

1800

Georg Wilhelm Friedrich Hegel é pai de uma criança ilegítima com a esposa de seu senhorio. Hegel foge da cidade em seguida.

1818

Arthur Schopenhauer é pai de uma criança com uma empregada em Dresden, depois de uma única noite de paixão.

1826

Auguste Comte arremessa facas na esposa e faz um corte no pescoço sentado à mesa de jantar, durante um surto. A esposa, cansada de suas oscilações de humor, o abandona dezesseis anos depois.

1840

O pedido de casamento de Henry David Thoreau a Ellen Sewall é rejeitado. Ele desiste do amor para sempre.

1841

Soren Kierkegaard rompe com a noiva, Regine Olsen, após treze meses, para poupá-la de sua angústia existencial.

1862

Liev Tolstói mostra seus diários à noiva no dia do casamento, revelando seu universo de prostitutas, promiscuidade, gonorreia e pensamentos homoeróticos com terríveis detalhes.

1868

Fiódor Dostoiévski empenha o anel de casamento para pagar dívidas de jogo. A esposa consegue recuperá-lo.

1872

Henry Ward Beecher, o pastor mais famoso dos Estados Unidos, é julgado por adultério. Ele se recusa a jurar sobre a Bíblia, selando sua culpa no tribunal da opinião pública.

1889

Friedrich Nietzsche teve um grave surto psicótico e nunca mais recuperou a sanidade. Morreu em 1900, por complicações decorrentes da sífilis.

1895

Em seu leito de morte, Friedrich Engels revela que seu filho era, na verdade, filho do amigo e colaborador Karl Marx.

1921

Bertrand Russell se divorcia da primeira esposa.

1928

O noivado de Jean-Paul Sartre com Germaine Marron é rompido pelos pais dela, depois que ele fracassa no exame para se tornar professor. Isso não incomoda muito Sartre, pois ele já vinha dormindo com a atriz Simone Jollivet.

1933

Martin Heidegger entra para o Partido Nazista, apesar de a amante, Hannah Arendt, ser judia. Ela foge para os Estados Unidos.

1935

Bertrand Russell se divorcia da segunda esposa.

1942

Albert Camus se divorcia da primeira esposa, Simone Hié, após descobrir que ela mantinha relações sexuais com um médico, em troca de morfina.

1952

Bertrand Russell se divorcia da terceira esposa.

1952

John Dewey morre sozinho depois que a segunda esposa o afasta da família e dos amigos.

1955

Ayn Rand começa um caso extraconjugal com o estudante Nathaniel Branden, vinte e cinco anos mais jovem.

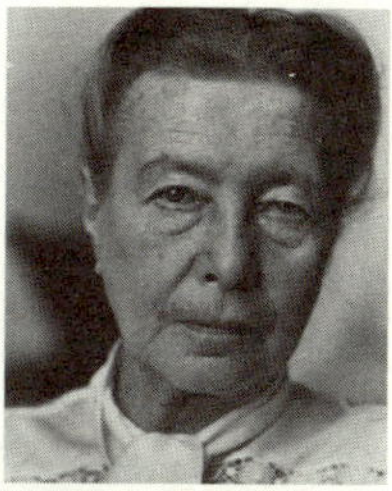

1980

Simone de Beauvoir adota a amante, Sylvie Le Bon.

1980

Louis Althusser "acidentalmente" estrangula a esposa enquanto ela dormia. Passa menos de três anos numa instituição antes de ter alta.

AGRADECIMENTOS

Obrigado à minha agente, Brandi Bowles, por me arrancar de cima da pilha de manuscritos.

Obrigado a Stephanie Meyers. Foi um esforço realmente colaborativo, e me considero um sujeito de sorte por ter encontrado uma editora tão talentosa.

Obrigado a meus leitores, Tiffany Jensen, Jason Walter e Joseph Leman, por seus comentários e sua leitura cuidadosa.

Obrigado a meus pais e avós, que, junto com Huey Lewis, me ensinaram algo sobre o poder do amor.

E, claro, um agradecimento especial à minha esposa, Gwendolyn Lee, que não hesitou quando lhe pedi permissão para escrever um livro sobre as armadilhas do amor romântico enquanto estávamos em nosso cruzeiro de lua de mel pelo Alasca.

REFERÊNCIAS BIBLIOGRÁFICAS

OBRAS GERAIS

BOTTON, Alain de. *As consolações da filosofia*. Rio de Janeiro: Rocco, 2001.

COHEN, Martin. *Casos filosóficos*. Rio de Janeiro: Civilização Brasileira, 2012.

CRITCHLEY, Simon. *The Book of Dead Philosophers*. Londres: Granta, 2008.

SOBLE, Alan (ed.). *Eros, Agape, and Philia: Readings in the Philosophy of Love*. Nova York: Paragon Press, 1989.

____. *Sex from Plato to Paglia*. Westport, CT: Greenwood Press, 2006.

____. *The Philosophy of Sex and Love: An Introduction*. St. Paul, MN: Paragon Press, 2008.

SOLOMON, Robert C. (ed.). *The Philosophy of (Erotic) Love*. Lawrence, KS: University Press of Kansas, 1991.

Introdução

No Direction Home. Entrevista com Bob Dylan. Diretor: Martin Scorsese. DVD. Paramount, 2005.

POLLACK, Neal. Introduction. *Love Is a Four-Letter Word: True*

Stories of Breakups, Bad Relationships, and Broken Hearts. Nova York: Plume, 2009.

POR FILÓSOFO

Sócrates

PLATÃO. *Plato: Phaedrus, Ion, Gorgias, and Symposium, with Passages from the Republic and Laws*. Londres: Oxford University Press, 1938.

Platão

PLATÃO. *Plato: Phaedrus, Ion, Gorgias, and Symposium, with Passages from the Republic and Laws*. Londres: Oxford University Press, 1938.
PRICE, A. W. *Love and Friendship in Plato and Aristotle*. Oxford: Clarendon Press, 1990.

Diógenes, o Cínico

DIOGENES, Laertius. *Vidas e doutrinas dos filósofos ilustres*. Brasília: Editora da UNB, 2008.

Aristóteles

ARISTÓTELES. *The Works of Aristotle: The Famous Philosopher*. Londres: J. Coker & Co., c. 1900.
MAYHEW, Robert. *The Female in Aristotle's Biology*. Chicago: The University of Chicago Press, 2004.
PRICE, A. W. *Love and Friendship in Plato and Aristotle*. Oxford: Clarendon Press, 1990.
RUSSELL, Bertrand. *The History of Western Philosophy and Its Connection with Political and Social Circumstances from the Earliest Times to the Present Day*. Londres: G. Allen and Unwin Ltd., 1946.

Tito Lucrécio

BOUNIA, Alexandria. *The Nature of Classical Collecting: Collectors and Collections, 100 BCE – 100 CE*. Aldershot, Inglaterra: Ashgate Publishing, Limited, 2004.

HIRSCH, A. R. e GRUSS, J. J. Human Male Sexual Response to Olfactory Stimuli, *J. Neurol. Orthop. Med. Surg.*, 19, p. 14-9, 1999.

LUCRÉCIO, Tito. *The Way Things Are*. Bloomington: Indiana University Press, 1968.

TENNYSON, Alfred. Lucretius, *Every Saturday*, 2 maio 1868: 576.

Sêneca, o Jovem

GRIFFIN, M. T. *Seneca: A Philosopher in Politics*. Oxford: Clarendon Press, 1992.

SENECA, Lucius Annaeus. *On Benefits*. Londres: George Bell and Sons, 1887.

____. *Ad Lucillum Epistulae Morales*. Nova York: G. P. Putnam's Sons, 1918.

TÁCITO. *The Annals*. Londres: Macmillan and Co., 1876.

Santo Agostinho de Hipona

AGOSTINHO, Santo. *Confissões*. Rio de Janeiro: Vozes, 2011.

____. *A cidade de Deus*. Rio de Janeiro: Vozes, 2012.

Pedro Abelardo

ABÉLARD, Peter. *The Story of My Misfortunes: An Autobiography*. St. Paul, MN: T. A. Boyd, 1922.

ABÉLARD, Peter e D'ARGENTEUIL, Héloïse. *The Love Letters of Abélard and Heloise, Translated from the Original Latin e Now Reprinted from the Edition of 1722: Together with a Brief Account of Their Lives and Work*. Indianápolis: The Bobbs-Merrill Company, 1903.

CLANCHY, M. T. *Abélard: A Medieval Life*. Oxford: Wiley--Blackwell, 1999.

MEWS, Constant J. *Abélard and Heloise*. Nova York: Oxford University Press, 2005.

São Tomás de Aquino

CHESTERTON, G. K. St. Thomas Aquinas. *The Spectator*, 27 fev. 1932.

João Calvino

BOUWSMA, W. J. *John Calvin: A Sixteenth-Century Portrait*. Nova York: Oxford University Press, 1989.

SELDERHUIS, Herman J. *John Calvin: A Pilgrim's Life*. Downers Grove, IL: IVP Academic, 2009.

WITTE JR., John. Between Sacrament and Contract: Marriage as Covenant in John Calvin's Geneva, *Calvin Handbook*. Cambridge: Wm. B. Eeardmans Publishing Co., 2009.

René Descartes

DESCARTES, René. *As paixões da alma*. São Paulo: Martins, 1998.

DESCARTES Life and Works. *Stanford Encyclopedia of Philosophy*, 27 fev. 2007. Disponível em: <plato.stanford.edu/entries/descartes-works>. Acesso em: 14 out. 2009.

GAUKROGER, S. *Descartes – uma biografia intelectual*. Rio de Janeiro: Contraponto, 2000.

GRAYLING, A. C. *Descartes: The Life of René Descartes and Its Place in His Times*. Londres: Free Press, 2005.

John Locke

GLAUSSNER, W. *Locke and Blake: A Conversation Across the*

Eighteenth Century. Gainesville, FL: University Press of Florida, 1998.
PFEFFER, Jacqueline L. The Family in John Locke's Political Thought, *Polity* 33, 2001.

Emanuel Swedenborg

SWEDENBORG, Emanuel. *Swedenborg's Journal of Dreams, 1743-1744*. Nova York: Swedenborg Foundation, 1977.
____. *The Delights of Wisdom Pertaining to Conjugal Love: After Which Follow the Pleasures of Insanity Pertaining to Promiscuous Love*. West Chester, PA: Swedenborg Foundation, 1998.
TOKSVIG, Signe. *Emanuel Swedenborg: Scientist and Mystic*. New Haven, CT: Yale University Press, 1948.

David Hume

HUME, David. *The Philosophical Works of David Hume*. Edimburgo: A. Black and W. Tait, 1826.
____. *The Philosophy of David Hume*. Nova York: Modern Library, 1963.

Jean-Jacques Rousseau

ROUSSEAU, Jean-Jacques. *Emílio ou da educação*. São Paulo: Martins, 2004.
____. *Discurso sobre a origem e os fundamentos da desigualdade entre os homens*. São Paulo: Martin Claret, 2005.
____. *Confissões*. São Paulo: Edipro, 2007.
____. *Do contrato social*. São Paulo: Companhia das Letras, 2011.

Denis Diderot

HALL, Evelyn Beatrice. *The Friends of Voltaire*. Londres: Smith Elder and Co., 1906.

Immanuel Kant

JASPERS, K. Kant. Trad. R. Manheim. San Diego, CA: Harcourt Brace Jovanovich, 1962.

QUINCEY, Thomas de. *Essays in Philosophy*. Nova York: Hurd and Houghton, 1877.

SCHOTT, Robin May (ed.). *Feminist Interpretations of Immanuel Kant*. University Park, PA: Pennsylvania State University Press, 1997.

SOBLE, Alan. Kant and Sexual Perversion, *The Monist*, 86, nº 1, 2003.

Nicolas Chamfort

ARNAUD, Claude. *Chamfort: A Biography*. Chicago: University of Chicago Press, 1992.

CHAMFORT, Nicolas de. *Máximas e pensamentos & caracteres e anedotas*. São Paulo: Martins, 2009.

Johann Wolfgang von Goethe

BATES, Alfred (ed.). Goethe's Love Affairs, *The Drama: Its History, Literature and Influence on Civilization*, V. 11. Londres: Historical Publishing Company, p. 66-9, 1906.

GOETHE, Johann Wolfgang von. *The Autobiography of Goethe*. Londres: Bell & Daldy, 1872.

____. *Afinidades eletivas*. São Paulo: Nova Alexandria, 2008.

____. *Os sofrimentos do jovem Werther*. São Paulo: Nova Alexandria, 2011.

MARSEN, Paul. *Operationalising Memetics – Suicide, the Werther Effect, and the Work of David P. Phillips*. Universidade de Sussex. Disponível em: <pespmc1.vub.ac.be/conf/memepap/marsden.html>. Acesso em: 14 out. 2009.

SIEBERS, T. The Werther Effect: The Esthetics of Suicide, *Mosaic*, Winnipeg, 26, nº 1, 1993.

Georg Wilhelm Friedrich Hegel

HARRIS, Henry Silton. *Hegel's Development: Toward the Sunlight, 1770-1801*. Oxford: Clarendon Press, 1972.

HEGEL, Georg Wilhelm Friedrich. *The Logic of Hegel, Translated from the Encyclopaedia of the Philosophical Sciences*. Oxford: Clarendon Press, 1892.

___. *Filosofia do direito*. São Paulo: Loyola, 2010.

PINKARD, Terry. *Hegel: A Biography*. Nova York: Cambridge University Press, 2000.

Arthur Schopenhauer

SCHOPENHAUER, Arthur. *Essays of Schopenhauer*. Nova York: The Walter Scott Publishing Co., Ltd., 1897.

Auguste Comte

COMTE, Auguste. *Passages from the Letters of Auguste Comte*. Londres: A & C Black, 1901.

PICKERING, Mary. *Auguste Comte: An Intellectual Biography*. Nova York: Cambridge University Press, 1993.

THOMPSON, Kenneth. *Auguste Comte: The Foundation of Sociology*. Nova York: Wiley, 1975.

Søren Kierkegaard

HALL, R. L. *The Human Embrace: The Love of Philosophy and the Philosophy of Love: Kierkegaard, Cavell, Nussbaum*. University Park, PA: Pennsylvania State University Press, 2000.

HANNAY, A. *Kierkegaard: A Biography*. Cambridge: Cambridge University Press, 2001.

UPDIKE, John. Not a Seducer, *The New York Review of Books 44*, nº 14, 25 set. 1997.

Henry Ward Beecher

ELLIS, John B. *Free Love and Its Votaries; or, American Socialism Unsmasked*. San Francisco: A. L. Bancroft & Co., 1870.

SHAPLEN, Robert. *Free Love and Heavenly Sinners*. Nova York: Knopf, 1954.

WOODHULL, Victoria C. And the Truth Shall Make You Free: A Speech on the Principles of Social Freedom, 20 nov. 1871.

Henry David Thoreau

COLLIAS, Nicholas. It's in for Historical Revisionists to Out, *Boise Weekly*, 2 jun. 2004.

HARDING, Walter. *The Days of Henry Thoreau: A Biography*. Princeton, NJ: Princeton University Press, 1982.

___. Thoreaus's Sexuality, *The Journal of Homosexuality 21*, nº 3, p. 23-45, 1991.

THOREAU, Henry David. *The Writings of Henry David Thoreau*. Nova York: AMS Press, 1982.

Friedrich Engels

CARVER, Terrell. *Marx's "Illegitimate Son" or Gresham's Law in the World of Scholarship*. Marx Myths.org. Disponível em: <marxmyths.org/terrell-carver/article.htm>. Acesso em: 14 out. 2009.

ENGELS, Friedrich. Helene Demuth Obituary. *The People's Press*, 22 nov. 1890.

___. *A origem da família, da propriedade privada e do Estado*. São Paulo: Expressão Popular, 2010.

GREEN, John. *Engels: A Revolutionary Life*. Londres: Artery Publications, 2008.

HUNT, Tristam. *Comunista de casaca*. Rio de Janeiro: Record, 2010.

MARX, Karl e ENGELS, Friedrich. *O Manifesto do Partido Comunista*. Rio de Janeiro: Vozes, 2011.

Fiódor Dostoiévski

DOSTOIÉVSKI, Fiódor. *Letters of Fyodor Michailovitch Dostoevsky to His Family and Friends*. Nova York: The Macmillan Company, 1914.

FRANK, Joseph. *Dostoiévski 1865 a 1871 – os anos milagrosos*. São Paulo: Edusp, 2003.

LANTZ, Kenneth. *The Dostoevsky Encyclopedia*. Westport, CT: Greenwood Press, 2004.

Liev Tolstói

BUNIN, Ivan Alekseevich. *The Liberation of Tolstoy: A Tale of Two Writers*. Evanston, IL: Northwestern University Press, 2001.

TOLSTÓI, Liev. *The Diaries of Leo Tolstoy*. Nova York: E. P. Dutton & Company, 1917.

___. *A sonata a Kreutzer*. São Paulo: Editora 34, 2007.

WILSON, A. N. *Tolstoy*. Nova York: Norton, 1988.

Friedrich Nietzsche

MENCKEN, H. L. *The Philosophy of Friedrich Nietzsche*. Boston: Luce and Company, 1908.

MOORE, G. *Nietzsche, Biology, and Metaphor*. Cambridge: Cambridge University Press, 2002.

NIETZSCHE, Friedrich. *Selected Letters of Friedrich Nietzsche*. Garden City, NY: Doubleday, Page & Company, 1921.

John Dewey

DEWEY, John. *Human Nature and Conduct: An Introduction to Social Psychology*. Nova York: Holt, 1922.

___. *The Poems of John Dewey*. Carbondale: Southern Illinois University Press, 1977.

ROCKEFELLER, Steven C. *John Dewey: Religious Faith and Democratic Humanism*. Nova York: Columbia University Press, 1991.

RYAN, Alan. *John Dewey and the High Tide of American Liberalism*. Nova York: W. W. Norton, 1995.

WALKER, Linda Robinson. John Dewey at Michigan, *Michigan Today*, 29, nº 2, verão de 1997.

WESTBROOK, Robert B. *John Dewey and American Democracy*. Ithaca, NY: Cornell University Press, 1991.

Bertrand Russell

MONK, Ray. *Bertrand Russell: The Ghost of Madness, 1921-1970*. Nova York: Free Press, 2001.

RUSSELL, Bertrand. *The Basic Writings of Bertrand Russell, 1903-1959*. Nova York: Simon and Schuster, 1961.

___. *O casamento e a moral*. São Paulo: Companhia Nacional, 1966.

___. *The Autobiography of Bertrand Russell*. Boston: Little, Brown, 1967.

Martin Heidegger

ETTINGER, Elzbieta. *Hannah Arendt – Martin Heidegger*. Rio de Janeiro: Zahar, 1995.

HONAN, William H. Book on Philosopher's Life Stirs Scholarly Debate Over Her Legacy, *New York Times*, 5 nov. 1995.

Jean-Paul Sartre

DAVIS, C. Historical Reason and Autobiographical Folly in Sartre and Althusser, *Sartre Studies International 10*, nº 1, 2004.

GERASSI, John. *Talking with Sartre: Conversations and Debates*. New Haven, CT: Yale University Press, 2009.

ROWLEY, Hazel. *Tête-à-tête*. Rio de Janeiro: Objetiva, 2006.

Sartre by Himself. Entrevista com Jean-Paul Sartre. Diretores: Alexandre Astruc e Michel Contat. VHS. Interna Video Classics: 1989.

SARTRE, Jean-Paul. *O ser e o nada*. Rio de Janeiro: Vozes, 2005.

WYATT, J. The Impossible Project of Love in Sartre's "Being and Nothingness", Dirty Hands and the Room, *Sartre Studies International 12*, nº 2, 2006.

Ayn Rand

BRANDEN, Nathaniel. *My Years with Ayn Rand*. San Francisco: Jossey-Bass, 1999.

HONAN, William H. Book on Philosopher's Life Stirs Scholarly Debate Over Her Legacy, *New York Times*, 5 nov. 1995.

RAND, Ayn. *Fountainhead*. Filadélfia: The Blakiston Company, 1943.

TOFFLER, Alvin. Playboy Interview: Ayn Rand, *Playboy*, mar. 1964.

Simone de Beauvoir

BEAUVOIR, Simone de. *A força da idade*. Rio de Janeiro: Synergia, 2010.

FULLBROOK, Kate e FULLBROOK, Edward. *Simone de Beauvoir and Jean-Paul Sartre: The Remaking of a Twentieth--Century Legend*. Nova York: Basic Books, 1994.

ROWLEY, Hazel. *Tête-à-tête*. Rio de Janeiro: Objetiva, 2006.

Albert Camus

CAMUS, Albert. *O estrangeiro*. Rio de Janeiro: Record, 1997.

THORPE, Vanessa. Charting the Amazing Love Life of the Amorous Existentialist. *The Independent*, 12 out. 1997.

TODD, Olivier. *Albert Camus – uma vida*. Rio de Janeiro: Record, 1998.

Louis Althusser

ALTHUSSER, Louis. *O futuro dura muito tempo*. São Paulo: Companhia das Letras, 1992.

DAVIS, Colin. Historical Reason and Autobiographical Folly in Sartre and Althusser, *Sartre Studies International 10*, nº 1, 2004.

FERRETTER, Luke. *Louis Althusser*. Nova York: Routledge, 2006.

CRÉDITOS

Agradecemos às seguintes empresas pela permissão para reproduzir fotografias e trechos de material publicado anteriormente.

Fotografias

SÓCRATES. Greg O'Beirne/GFDL/Creative Commons/Wikimedia Commons.

PLATÃO. Marie-Lan Nguyen/Wikimedia Commons - Museus Capitolinos, Roma.

DIÓGENES, O CÍNICO. Gemäldegalerie, Dresden.

ARISTÓTELES. Palácio Apostólico, Vaticano.

TITO LUCRÉCIO. The Granger Collection/Other Images.

SÊNECA, O JOVEM. Calidius/Wikimedia Commons - Staatliche Museen zu Berlin.

SANTO AGOSTINHO DE HIPONA. Museu do Louvre, Paris.

PEDRO ABELARDO. Pierre-Yves Beaudouin/Wikipedia/Creative Commons.

SÃO TOMÁS DE AQUINO. The National Gallery, Londres.

JOÃO CALVINO. Museu Boymans Van Beuningen, Roterdã.

RENÉ DESCARTES. Museu do Louvre, Paris.

JOHN LOCKE. Bodleian Library, Oxford.

EMANUEL SWEDENBORG. Coleção particular.

DAVID HUME. Scottish National Portrait Gallery, Edimburgo.

JEAN-JACQUES ROUSSEAU. Musée National du Château et des Trianons, Versalhes.

DENIS DIDEROT. Museu do Louvre, Paris.

IMMANUEL KANT. Museum Stadt Königsberg, Duisburg.

NICOLAS CHAMFORT. Bianchetti/Leemage/Other Images.

JOHANN WOLFGANG VON GOETHE. Deutsches Historisches Museum, Berlim.

GEORG WILHELM FRIEDRICH HEGEL. Coleção particular.

ARTHUR SCHOPENHAUER. Staatliche Kunstsammlungen, Kassel.

AUGUSTE COMTE. Coleção particular.

SØREN KIERKEGAARD. Coleção particular.

HENRY WARD BEECHER. Biblioteca do Congresso, Washington.

HENRY DAVID THOREAU. Biblioteca do Congresso, Washington.

FRIEDRICH ENGELS. Coleção particular.

FIÓDOR DOSTOIÉVSKI. Coleção particular.

LIEV TOLSTÓI. Biblioteca do Congresso, Washington.

FRIEDRICH NIETZSCHE. F. Hartmann/Coleção particular.

JOHN DEWEY. Biblioteca do Congresso, Washington.

BERTRAND RUSSELL. Bettmann/Corbis/Latinstock.

MARTIN HEIDEGGER. Bettmann/Corbis/Latinstock.

JEAN-PAUL SARTRE. Alain Nogues/Sygma/Corbis/Latinstock.

AYN RAND. Ben Pinchot/Biblioteca do Conngresso, Washington.

SIMONE DE BEAUVOIR. Jacques Pavlovsky/Sygma/Corbis/Latinstock.

ALBERT CAMUS. Bettmann/Corbis/Latinstock.

LOUIS ALTHUSSER. Jacques Pavlovsky/Sygma/Corbis/Latinstock.

Trechos

A entrevista de Ayn Rand feita por Alvin Toffler apareceu originalmente na revista *Playboy*.

The Future Lasts Forever: A Memoir, de Louis Althusser. Copyright © 1992. STOCK/IMEC. Tradução para o inglês: copyright © 1993 Douglas Johnson. Reproduzido com permissão da *The New Press*.

John Wiley & Sons, Inc. e Wiley-Liss, Inc.: *My Years with Ayn Rand*, de Nathaniel Branden.

Este livro foi composto em Berkeley
para a Leya, em setembro de 2012.